JN119409

人凶《ひとわろし》

相良藩永冨一族の謎

稲冨伸明

弦書房

稲冨収三（平成二年十二月十六日複写）
稲冨家三十代当主。里助長男　初名里助後収三ト改ム。夏岳義道居士　明治三十一年七月一日享年五十三。
弘化から慶応の幕末、そして明治期という激動の時代を生きた。明治四年布告、散髪脱刀令の前後に撮影されたと伝わる（収三　二十六歳）。このように、丁髷姿のサムライの写真が残っていることは珍しい（17頁の家系図参照）。

目次

はじめに

本書の主題は、相良氏最大のミステリー「永富一族の正体」を解き明かすことにある。

人吉相良家の歴史は、相良周頼が遠江国相良（静岡県牧之原市相良）に定住し、「相良」を称したことから始まる。鎌倉初期、御家人相良頼景は肥後国多良木（現熊本県球磨郡多良木町）に下向した。子の長頼は人吉荘（現熊本県人吉市付近）地頭となり、以後、多良木系は「上相良氏」、人吉系は「下相良氏」と呼ばれてきた。

——下相良家十代相良堯頼《あきより》の頃、幼君であることにつけ込んだ上相良氏は、人吉城を急襲し、堯頼一族を薩摩国菱刈へと追い落とした。だが、下相良の庶家永富一族の長続が上相良勢を人吉城下から撃退した。その後、同勢力を滅ぼし、相良宗家の家督を奪取した——「文安五年（一四四八）の内訌」と呼ばれる。この永富長続の迅速かつ見事な反撃こそ不自然に感じられるが、堯頼の死因も不可解千万と言えた。落去先の北薩の地で牛の角に突かれ不慮の死を遂げたと伝わる。この一件以降、相良宗家は上相良氏や下相良氏ではなく、庶子永富相良氏の流れとなった。

戦国期、薩摩国との境目の城であった水俣城が島津勢の攻撃で陥落して以降、九州制覇を目論み北進する島津軍の先鋒として、盟友だった肥後国の豪族甲斐宗運一族を討つことを相良氏は命じられた。この結果「響ケ原の戦」で当主であり総大将の相良義陽が討死した。このままでは相良家は独立した地位を奪われ、球磨人吉盆地は島津の属国となっていてもおかしくない苦境に陥っていた。相良氏は島津の与力同然として、約七年間、負担の多い先陣あるいは軍殿として各地転戦を強いられていた。敵の敵は味方。この言葉の通り、豊臣秀吉が命じた島津征伐のおかげで、相良家は窮地を救われた。肥後国八代で、当時の相良家当主頼房は秀吉と面会した。その際、彼の機嫌がたいそうよかったため、相良領は本領安堵となった。筆者である私の地元ではこのように伝えられている。

さらに関ケ原の戦では、相良家は当初西軍に属していた。美濃国大垣城で東軍に寝返り、西軍の守将らを討ち取った手柄により、徳川家康により本領安堵が許された。

その後も、熊本藩加藤家における加藤清正のような有名な中興の祖がいる大藩ではなかったからこそ、幕府から危険視されず、息子の代で改易の憂き目にあうこともなかった。

こうして相良家は、鎌倉時代の初め、頼景・長頼両公が遠江相良荘から下向してきて以来、小勢力、小藩ながら、他国勢力により滅ぼされることもなく、幾度の存亡の危機をくぐり抜け、相良一統のまま人吉球磨の地を守り続けた。

子孫累代にわたり、系図・書物・石碑などによって自分（ら）の事績を「伝えていきたい」「誇りたい」という人間の欲求・価値観は、古今東西変わらないものだ。まして相良宗家の先祖についてである。だからこそ私は、永冨一族に関する事跡が残されていない点を奇異に感じてきた。

なお、永冨氏の先祖に関しては、天文五年（一五三六）に記された史書『沙弥洞然長状』が伝えられてきた。それは上村長国（沙弥洞然）が、上村家から相良宗家の当主となった晴広（為清）に対し、相良氏球磨（求麻）入国以来の事績を教授するためにまとめられたものである。当文書には永冨家の家系図がある。下相良家初代相良長頼の嫡子として頼親と、その子の頼明が「永冨」とそれぞれ名乗り、永冨家の初代となったと記されている。相良頼親と頼明が実在の人物ならば、とくに中興の祖・相良長頼の嫡子と孫にあたる者だったのならば、相良家の古文書に二人の事跡を伝える、当時作成されたものが多数残っていて当然といえる。しかし、かような文書を一通も確認できていない。二人は後世に創出された人物であり、系図自体も真実性は持っていないと推察できる。

ところで、名主《みょうしゅ》の一人として「永冨」の名は複数の文書にみえる。この点から、鎌倉初期、相良氏が遠江国相良荘から下向する以前から人吉庄に根づいてきた永冨を名乗る名主《みょうしゅ》一族が永冨家の成長基盤であったと考えてよかろう。しかしながら、累代の墓所、永冨長続が生まれ育ったとされる球磨郡山田村に築かれていた山田城の所在自体がはっきりしない。相良家十一代当主相良長続を輩出した一族にもかかわらず、「永冨」の事績は残っておらず、球磨人吉盆地の朝霧がかかった球磨人吉盆地の光景の如く、謎に包まれているのだ。

この一方で――

著者であるわが家の系図には、記載「永冨出雲守頼藤――（子孫なし）」がみえる。これが本書執筆の原点といえる。

あわせて――

江戸時代の文化年間に編纂された相良家正史『南藤蔓綿録』（以下『南藤』）のなかに、「斉木但馬守逆心　附一家滅亡」と題目が付いた落城譚がある。この一族が滅んだ日付については、室町時代中期、宝徳三年三月七日とはっきり記されている。なお西暦では一四五一年四月八日（月曜日）。しかも、挙書では当一族を「大族」「落る族多けれ」「譜代」「累代旧功」と表現している。にもかかわらず、この名字を持つ相良家臣や子孫を地元で聞いたことはなく、私は永冨一族同様、謎めいた一族に感じてきた。

著者である私と同じく、江戸中期、『南藤蔓綿録』の編纂に取り組んでいた相良藩士西源六郎昌盛も、永冨一族の謎を解きあぐね、筆が進まなくなっていた――。

至八代
肥薩線
人吉駅
至山田村・山田城
人吉城
山田川
米冨館
辻郷の湧水
原城
至渡利城
球磨川
至葦北郡才木村
天道ヶ尾
人吉庄←
→球磨荘
七地村
七地城
川辺川
川村駅
肥後西村駅
球磨（求麻）川
くま川鉄道
一武駅
至湯前町
広大寺
一武城
一乗寺
至上村城
肥薩線
斉木麓
土橋
斉木城
一の曲輪
カマノクド
二の曲輪
斉木神社
鳩胸川
漆田中田城
漆田村
無勢川
斉木奥水無古屋敷
斉木奥水無名主館
至鹿児島県
大畑村
熊本県
熊本県球磨人吉地方図

〈登場人物〉

永冨宗家：

永冨宗家九代当主斉木城主永冨但馬守頼重――四十二歳。文中では「但馬守」。『南藤』には実名はみえない。『南藤』では、但馬守頼重の人柄を次のように記している。「頼重」は著者である私の設定。「其上其身器量有て諸事たくましき故人吉城下の諸士皆々其威勢に恐れしかは御一族の外肩を並る人なし」

まさ――頼重夫人、球磨郡の豪族上村氏の出身

永冨頼清――頼重長男、十八歳、前半部では永冨山田荘を訪れた米冨家一行の案内役。戦では斉木地頭館に詰める大将

あき――頼重長女、十五歳、動物の世話が好き。とくに猫を愛する

しず――頼重次女、九歳

次郎丸――頼重次男、三歳

永冨出羽守長名――七地城主、実重弟、夫人は河梶取長《おさ》の娘、子は右馬頭長祐

永冨出雲守頼藤――漆田中田城主、但馬守の父實重の弟にあたる隠岐守頼澄。その子又八頼恵には家督を継ぐ男子が二人いたが、いずれも幼くして亡くなったため、頼澄の娘の婿として米冨家から永冨家へと養子に入る。米冨美作守頼幸の実子

清藤二と矢四郎――河梶取の二人、河梶取勢は七地村天道ヶ尾台地の東端を背にした場所に館を

構える
永冨藤四郎頼宇――永冨宗家譜代の重臣、侍大将
永冨頼宏――永冨藤四郎頼宇の嫡子、一武城へと向かう但馬守に帯同、伏兵に遭遇し軍殿を務める
永冨長裕――斉木城二の曲輪の守将
黒木覚右衛門政頼――元上村家家臣、但馬守夫人まさが永冨家に輿入れしたときから傍に仕え続けてきた筆頭家臣
永冨堅助――斎木城二の曲輪の兵
斉木神社の神官――戦時、但馬守夫人まさとともに斉木城台所の指揮を執る
永冨治部少輔實重――但馬守頼重の亡父、応永二十七年七月十二日死去、法名道宥
實重夫人――但馬守頼重の亡母、相良定頼妹、実名ともに生没年月日不明

相良宗家‥
永冨左近将監長続――但馬守の実弟、相良宗家十一代当主、四〇歳。応永十八年（一四一一）生まれ。応仁二（一四六八）年二月二十五卒、寿五十八法名宝山道珍
長続夫人――文明十一（一四七九）年九月五日逝去。犬童右京進兼長女、玉峯妙金
永冨頼金――長続嫡男。戦時には「人吉城」の大将として指揮を執る。なお、当時の人吉城は現在の球磨川南岸に面していたわけではなく、北岸の地に構えられていた。現在の「相良家墓

地」とその後背地「大村平家城」跡地。現人吉城は「原城」と呼ばれ、城の向きも現在の西ではなく、東南を向いていた
永富為続――長続三男。嫡男頼金、次男ともに早世したため、相良宗家十二代当主となった
繁林――米冨家六代当主美作守頼幸の娘、犬童右京進長の直室。長続からは義理の母親、長続の子為続からは外祖母にあたる
妙高禅尼――長続の妹。寛正三年（一四六二）五月九日逝去
永富大膳太夫長連――長続の叔父。久米雀ヶ森の戦、薩摩国牛屎院牛山城鎮圧で活躍。牛山城番。息子式部大輔頼福も長続の嫡男為続の代に牛山城番を務める
青沼一族――長続へ讒言を行い、内訌を引き起こした。恩賞として斉木村を与えられた不埒千万の新興弱小勢力
広田弾正、蓑田何某、原口藤兵衛尉、永井弥太郎――長続側が但馬守に寄越した使者

米冨家の者：

米冨美作守頼幸――米冨家六代当主。人吉荘大村泉田の米冨館在住。名主《みょうしゅ》時代の頃から永冨一族とは協調関係が続いてきた。館前には「辻郷の湧水」がある。長男とともに永冨山田荘を訪れる
米冨太郎三郎頼照――家督は美作守頼幸に譲り、一武城で隠居の身

米冨長太郎着頼——米冨頼幸の長男、十二歳。父とともに永冨山田荘を訪れる
米冨覚兵衛頼定——江戸中期の米冨家二十五代当主。西源六郎に『鳩胸記』を手渡す
広大寺住職慶秀——寺地は一武村角井

下相良一族：
長続が惣領となるまで、下相良宗家の家督を保っていた一族
相良堯頼——相良宗家十代当主。上相良一族により人吉城を急襲され、惣領の地位を追われた。薩摩国菱刈へと落去、牛屎院で牛の角に突かれて死んだと相良正史は伝えているが、史実は相良長続の刺客により殺害されたと推測できる
大蟲和尚——落去した堯頼に付き従い、堯頼死亡後、帰国し、一武城脇に一乗寺を開く

他の勢力：
島津一族（奥州家と豊州家、薩州家）
隣国北薩地域の国人領主勢力
上球磨を本拠とする上相良一族に同心する国人領主たち
北薩の地へと落ち延びたが、その地で一族再興を願い、堯頼を慕い続ける下相良勢力

〈永冨宗家〉（……は当主名を省略）

本貫地：永冨山田荘

斉木家……斉木奥水無名主家……名主・斉木十郎頼遠

- 永冨宗家
  - **永冨治部少輔實重** ＝ 相良定頼妹
    - **永冨但馬守頼重** ＝ まさ
      - 頼清
      - あき
      - しず
      - 次郎丸
  - 出羽守長名 ＝ 河梶取長（おさ）の娘
    - 長祐
  - 隠岐守頼澄
    - 頼恵
      - 長男（討死）
      - 次男（討死）
      - 永冨出雲守頼藤（稲冨家より養子に入る）

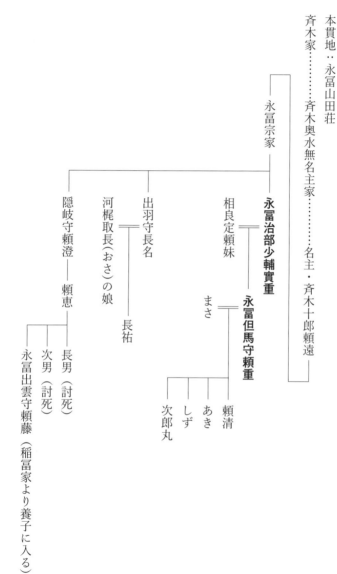

〈相良宗家〉（……は改竄部分、‖は養子縁組）

藤原南家武智麿―是公―雄友―弟河―高扶―清夏―維幾―（工藤）為憲―為時―時頼―時文―維兼―維頼―

（相良）周頼―光頼―頼寛―頼繁―

頼景―長頼―頼親（永冨家）……頼明……頼常……頼積……長滋……頼均……頼道……頼連……**實重**―**長続**

長頼の子：
- 頼氏（上相良家）―頼宗―経頼―頼仲―頼忠―頼久―頼観（上相良家滅亡）、頼仙
- 頼俊（下相良家）―長氏―頼広―定頼―前頼―実長―前続―尭頼（下相良家正統廃絶）‖**長続**（相良宗家家督簒奪、永冨から相良姓に改称）―**為続**―
- 頼村（上村家）
- 為頼
- 頼員（犬童家）
- **頼貞**（**稲冨家**）

犬童右京進長
繁林（稲冨美作守頼幸の娘）
‖
玉峯妙金
長続‖玉峯妙金：頼金、頼幡、**為続**

長毎―長祇‖長定‖義滋‖晴広―義陽―忠房―長毎―頼寛―頼喬―頼福―長興‖長在―頼峰‖頼央―

晃長（高鍋藩秋月氏からの養子、上杉鷹山（治憲）弟）‖頼完‖福将

長寛―頼徳―頼之―長福―頼基‖頼紹―頼綱―

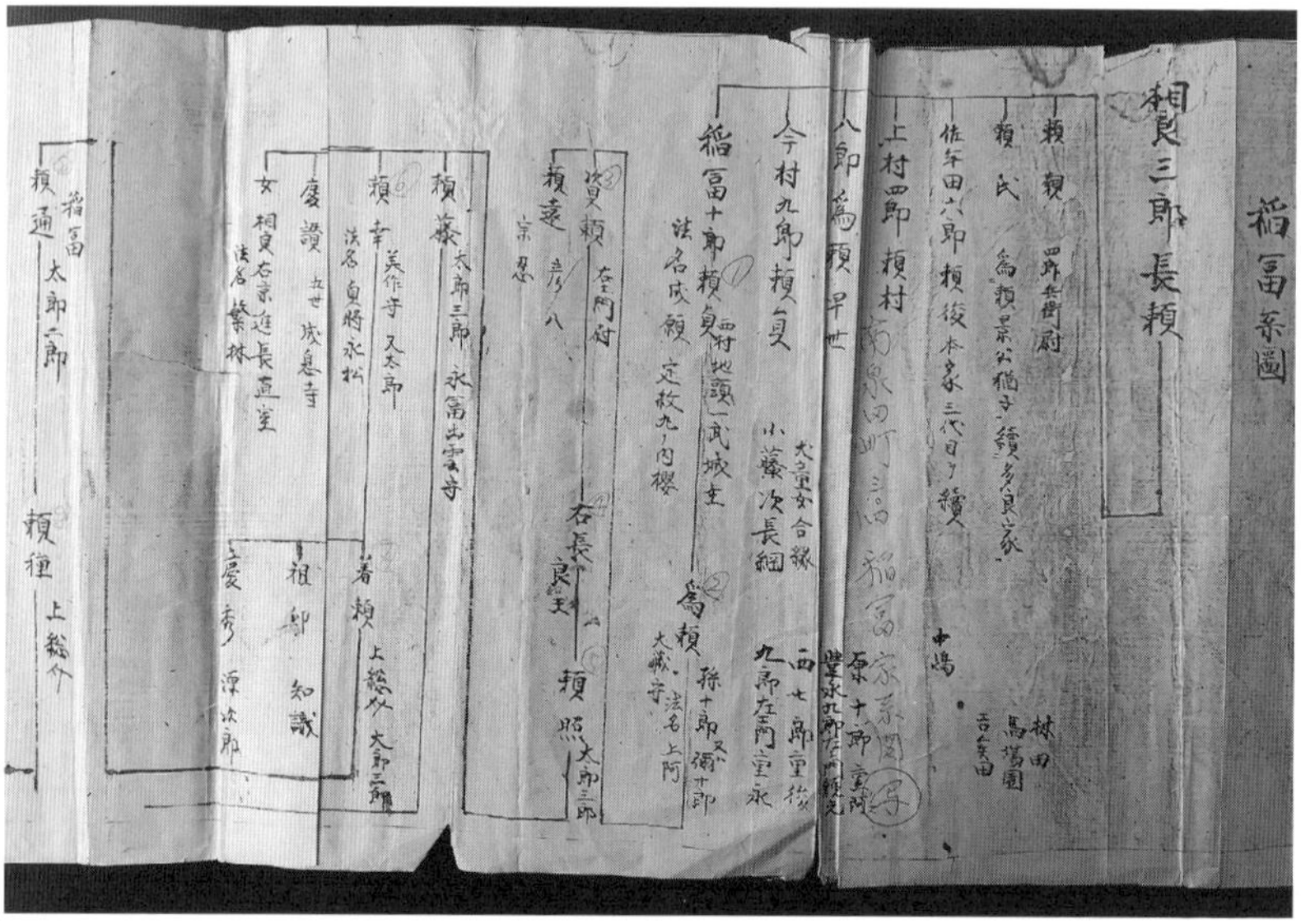

稲富家系図（原本）

〈稲冨家〉

相良三郎長頼
- 頼親
- 頼氏
- 頼俊
- 頼村
- 為頼
- 頼員
- **頼貞**（西村地頭一武城主　稲冨家養子）＝稲冨名主家の娘
  - 為頼
    - 資頼―右長―頼照
      - 頼藤（太郎三郎　永冨出雲守　子孫なし）
      - 頼幸
        - 着頼―頼道―頼種―頼旨―頼兼―頼一―久頼―頼重―頼秀―政頼
          - 頼實―親行―友頼―頼仲―頼弘―頼祐―安則‖五兵衛‖重定
            - 重冬―重憙―重秀‖里助‖収三‖生二―幸人―清人―伸明（著者）
        - 祖卯
        - 慶秀　一武広大寺
      - 慶讃
      - 女（相良右京進長直室）
    - 頼遠

＊本系図は右頁写真の原史料「稲冨系圖」によるものである。本文では、稲冨一族の者は米冨一族の人物として描かれている。この理由は、想像力に立脚した歴史小説執筆と客観性に基づくべき歴史検証を両立させたい筆者の思いからである。（‖は養子縁組）

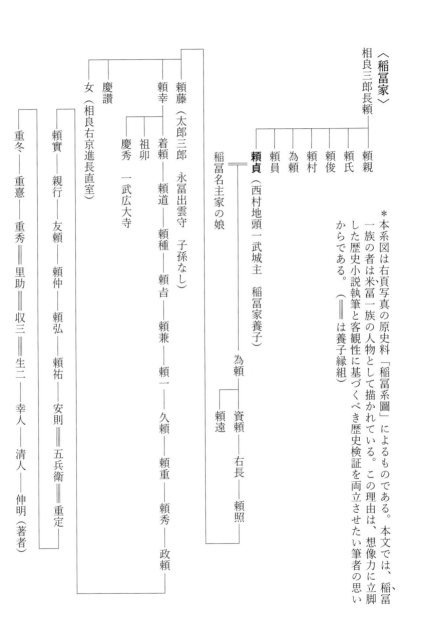

〈永富長続による相良宗家家督簒奪以前　永富但馬守頼重と永富長続との（兄弟）関係〉

本貫地：斉木奥水無荘古屋敷

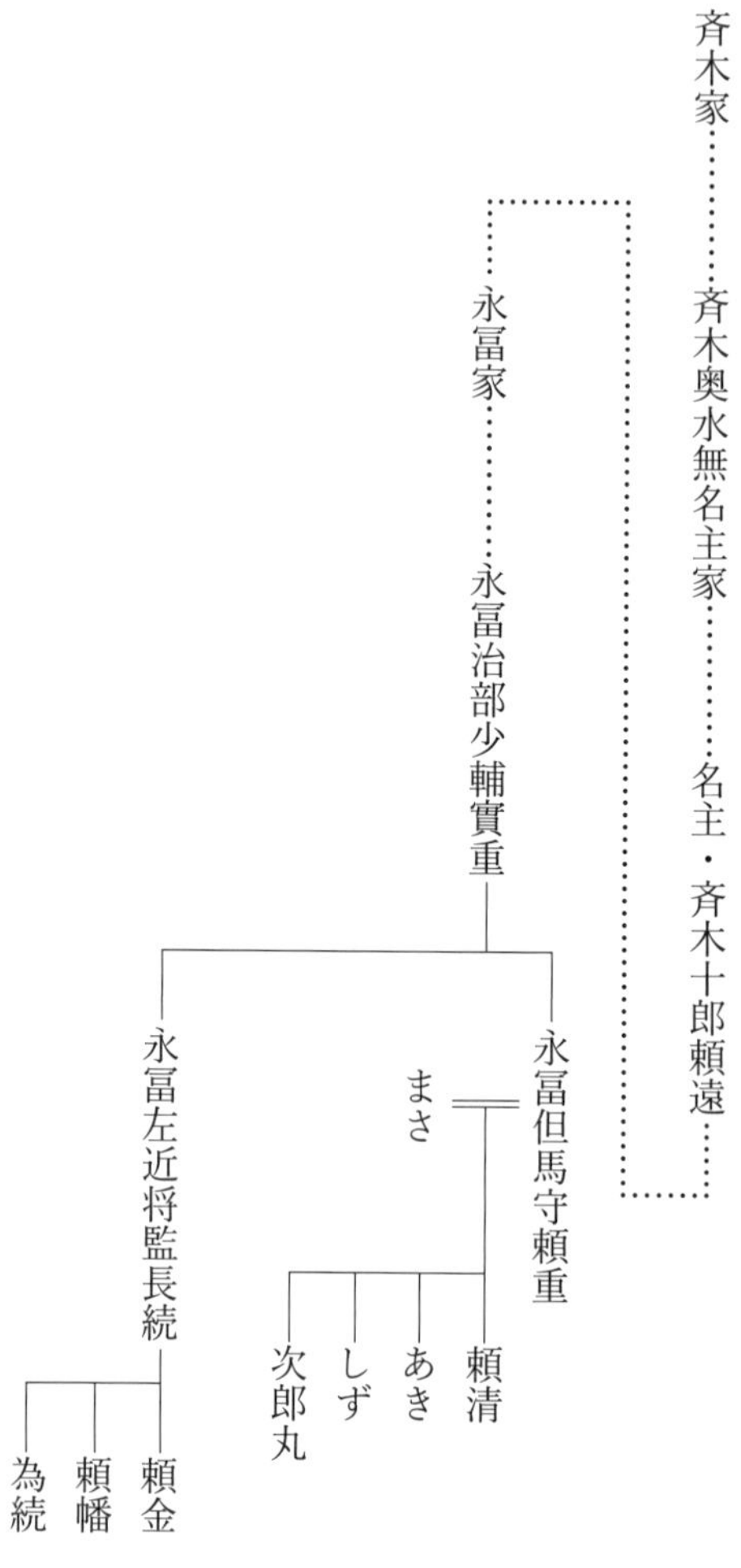

人凶《ひとわろし》——相良藩永冨一族の謎

江戸中期、米冨家泉田館前の辻郷《つじごう》湧水地にて

人吉球磨盆地を領地とする石高二万二千石の相良藩では、前藩主相良頼徳は隠居し、家督を継いだ頼寛の治政が続いていた。

全国では飢饉や打ちこわし、一揆が頻発。藩内では、大火、風水害が繰り返し起き、藩民の生活を苦しめていた。およそ百年前、富士山が噴火。二十年前には浅間山が噴火していた。そのため、次は隣国の桜島と阿蘇山が大噴火し、灰が積もり、冷害が起こり、未曽有の大飢饉が相良領内においても起こるのではないか、と領民は噂をする日々だった。

辻郷の湧水を眺めながら、二人の相良藩士が会話をなしていた。

一人は、この水の湧く丘陵を後背に館を構えてきた米冨家二十五代当主覚兵衛頼定。

もう一人は西源六郎昌盛といい、藩命により相良家正史を編纂し続けていた。藩庫は勿論、各家

を訪ね歩き、伝承や系図などの記録を集めてきた。編纂は完成に近づきつつあった。

「先日江戸屋敷に居られる嫡男（賢助）様からは、江戸藩邸に収められている史料の写しなどを送っていただき、まことにありがとうございました」源六郎は頼定に感謝の言葉を述べた。ただ、源六郎の顔は青白く、目も虚ろで、声の張りもなかった。

この日、源六郎が米冨館を訪れていた目的は、自力では解明できない疑問について当主頼定に尋ねるためだった。

源六郎は、編纂を進めていくうちに、件の疑問は自ずと溶解していくものだと楽観視していた。当初は、何事にも困難はつきもの、藩史を完成するためには当然であると、編纂後ではなくその最中に、この疑問を発見できたことを喜んでいた。だが、その疑問を解く端緒さえ見つからず、謎は深まるとともに膨らんでいった。源六郎の焦りと苛立ちも日増しに大きくなっていた。

藩史の編纂をしている自分を取り巻く状況について自覚と自制はきちんとできていたのだが、この一年は、源六郎は憂鬱な眠れぬ日が続いていた。しだいに、もがきや苦しみを感じることがなくなる一方で、日中何もする気が起きず、ここ一月は件の謎について思案しているのか、眠っているのかを自覚するのさえ難しくなっていた。

当初、家族は縁側で佇む源六郎の姿をみかけても、あれこれ文章を練り続けているのだろうと気にかけてはいなかった。しかし、着替えもせず、顔も洗わず、起床も遅くなり、一日中縁側に居ることが何日も続くようになったことで、源六郎のことを心配しはじめるようになった。

源六郎は筆をとることはもちろん、筆や紙、硯を見ると吐き気をもよおしてしまうほど肉体的、精神的に追い詰められていた。家族によると、「どぎゃんなっとっとか、いっちょん分からん」と、一晩に何度か絶叫することもあるとのことだった。

「……今日、身を起こしたのは、厠に一度行ったときだけばい」

書斎に籠っていた源六郎は横臥したまま虚空に向かって独りごちた。もう一度、相良家の歴史を振り返ることにした。

永冨一族の事跡が史料だけではなく、城館や墓石に至るまで、悉く破棄、改ざん、破却され失われてしまったのはいつの時代だろうか。そして誰が、何の目的で行ったのか。

西源六郎は、この二つの観点から思案し始めた。そして、永冨家の出自の謎を解く端緒を見つけることができた。これが突破口となり、解きあぐねていた疑問がいっきに氷解していった。

鎌倉の初め、相良頼景が遠江国相良荘から人吉球磨盆地へと下向してきて以来、隣国の島津といった外敵から攻め滅ぼされることも、改易や転封処分の憂き目にあうこともなく、一貫して相良氏が同盆地を統治してきた。したがって、相良（永冨）長続の出身母体であった永冨一族の事績を――口碑伝承に至るまで――悉く破却できた勢力は、源六郎にとっては主家である永冨流相良宗家しか考えられなかった。

以前、藩庫にある記録の数について、他の当主の時代と比べて、相良宗家の家督が下相良家から永冨長続家に移った――相良堯頼の時代だけが極めて少なかったのを不思議に感じた記憶がよみがえった。その時代に、相良宗家の正統性を守る目的で、そぐわない史料の破棄、改ざんが行われた、と源六郎は確信した。

ずっとふさぎ込んだままの憂鬱な状態が続いていた源六郎だったが、永冨一族の謎を解く端緒を発見した日を境にして、雲間から一筋の光明が射す思いとは、この現在の我が心境なのだ、と実感できるようになった。さらに彼の奮起を後押しするかのように、源六郎は青沼村を巡った際に出会った古老との短い会話を思い出した。この記憶は長らく心の隅にはひっかかってはいたのだろうが、彼の頭の中は寝ても覚めても霧がかかっていた状態だったので思い出せなかった。

「かつてこの村は「斉木《さいき》」と呼ばれとった。鳩胸川沿いの丘陵に居城があったと伝わる以外事績は残っとらん。ばってん、なんさま大きか一族が滅んだと代々伝わっとるばい」と、青沼村の古老は源六郎に語った。

「郡内で斉木という名字持つ者を聞いたことはなかとですが……」

「そぎゃんたい。儂も聞いたこつなか。村を治めとった領主一族の名は、村の名とは違っていたごたる。残念だが一族の名は伝わってはおらん。城址の東に建つ神社にもその当時のことはいっちょんのこっとらん。謎の一族たい」

「お爺さんは地の者として、その一族はなぜ滅びたと考えとんなっとですか。ぜひ聞かせて下され」

「まあ、大きな一族だったようだから、器量を疎まれ、謀反の疑いをかけられて滅んだのだろうな。

いまもむかしも、よくある話たい」

古老が教えてくれた大族こそが永冨宗家一族であり、相良長続は相良家の連綿性、自身の正統性を保つために、出身一族であるにもかかわらず、その事績を隠蔽改竄してしまった。斉木村で滅びた大族こそが永冨宗家一族であり、相良宗家一族滅亡後、相良宗家の者たちによって、本領斉木村を中心に郡内に存在していた永冨宗家の事績の一切合財が破却、破棄された。現在伝わる永冨家系図も改竄創作されたもので、真の永冨一族の事績は消されてしまっていると確信した。つまり、滅亡時の永冨宗家惣領は相良長続の兄だった、と。

源六郎はこのように仮説を立てた。しかし、それを検証する手がかりを見つけられないまま、日にちだけが過ぎていった。


さらに数日後、「斉木」の平仮名読みと認められる名字「さゐき」が藩の文書に記されていたことを源六郎は思い出した。それは『相良長頼女尼妙阿代道観申状並具書案』と題目と建長四年（一二五二）三月廿五日の日付がある書状で、人吉庄南方の在家五カ所の一人として「さゐき」という記載がみえた。源六郎は、この在家は神官一族だったと推測した。当書状には、地頭職として相良長頼の子息たちの連署と各人の花押が残されていた。その一人は当時の米冨家の当主であった。

「拙者からさかのぼること八代前の当主。その者に、米冨家の方が嫁いでこられとったな……。館前の辻郷の湧水で有名たい」

すると源次郎の頭のなかに、ずっと昔、米冨泉田館を訪れた際の記憶がよみがえってきた。官職名と実名までは思い出すことはできなかったが、拝見した米冨家系図に「永冨」の名字を持った傍線以下がない、つまり子孫は伝わっていない者が記されていた。その時は藩史を編纂ようになるとは夢にも思っていなかったのですっかり忘れていた。

本職となっていた編纂作業を再開しようという気持ちまでは起きなかったが、源次郎の固く閉ざしてきた心の岩盤を押し広げるかのように、家族と会話し、庭の草むしりと肥溜めのものを畑にまこうという意欲が湧き出てきた。

西源六郎は米冨泉田館を訪問するまで、長く苦しい道のりをたどってきた。永冨一族の謎を解明し検証すべく、米冨家に古文書などの手がかりが伝わっていないかを尋ねるべく米冨泉田館訪問を決めた——。

さっそく、西源六郎昌盛は米冨頼定に今日の訪問の目的を切り出した。

「藩庫に収められております文書はもちろんのこと、これまで郡内の家々を訪ね歩き、言い伝えを聞き取り、古文書を拝見して参りました。ばってん、主家相良家の出身一族永冨家の事績について、どうしても分からんこつがございます。藩史の編纂が進むにつれて、こん疑問は強まっていくばかり。何者かが意図的に永冨一族に関する事績を消し去ったとしか思えません。相良宗家は、永冨一族出身の長続公の流れで、今日まで続いてきておりますが、出身母体である永冨一族の事績が残っておらんとです。室町後期、長続公が相良家の惣領に就かれてから以降の記録は多数残っております。しかし長続公以前の系図に記載された当主に関しては、その方々が実在していたことを裏づける文書は皆無なのです。偽系図や先祖の事績を誇るための美化は当たり前かもしれませんが、永富一族の事績に関する記録の改ざんや破棄が行われたのは間違いなかとです。そこで御家に永冨一族に関する古文書が伝わってはございませんでしょうか」

この源六郎の質問に対し頼定は表情を変えなかった。事前に源六郎は、来訪日時と藩史編纂のためにお尋ねしたいことがいくつかございます、と来訪目的について書状に記していた。しかし、相良宗家の先祖への疑問について質問をなしたいとまでは書いてはいなかった。これに対し、頼定は当家来訪時、源六郎はその質問をなしてくるだろうと予想していた。

「こん辻郷の湧き水はこれまで、枯れたことは一度もなかと聞いておる。郡中第一の名水たい。実際、こん湧き水を利用して、泉田の地を開墾してきたのが我が一族、米冨たい――。源六郎殿、土蔵の中から文書《もんじょ》を持って参るので、待っていて下され」

頼定は、源六郎にこう述べると、館の東庭に咲き誇る桜を見上げつつ、館へと歩いていった――。

室町中期、永冨山田荘――米冨家の者たちの訪問

「さあ、此処《ここ》常楽の船着き場から求麻《くま》川を渡っぞ。渡った先は永冨宗家一族の御所領、永冨山田荘七地《しちち》村たい」

米冨美作守頼幸が息子である長太郎着頼に言った。

「はい、かしこまりました」

「ここしばらく雨は降っておらんけん流れも緩やかで、乗り心地もよさそうでございますな」

川面を眺めた同行の家臣の一人が述べた。

「天気も、今日一日、雨は降りそうになかごたる。寒いなか、蓑を纏い雨に打たれながら歩くのは辛かし、景観も楽しめんごとなってしまう。永富殿の地、山田庄を巡るには相応しい晴れたよか冬の一日になろう」

朝霧が立ちこめているため、対岸にいる米冨の者たちには見えていないが、常楽《じょうらく》の船着き場の上流は、川の流れが大きく右へと蛇行している。その湾曲している地を境に、上流を「上球磨」、下流は「人吉」と呼ばれる。此処から無勢《むせ》川――薩摩との国境のある山々を源として、大塚、木地屋、古仏、蓑野、間の各村を南へと流れる――が求麻川に注ぎ込む地点の少し上流辺りまで、川の流れは穏やかだ。川音はほとんど聞こえず、若い河梶取がこぐ艪が艫にあたる音が一定の間隔で、米冨家の四人の耳に心地よく聞こえていた。いっぽう、「下球磨」と呼ばれる人吉より下流域は、流れ

も激しく、川石が至る所に現れていて、経験を積んだ河梶取といえども操船には注意を要する難所が続いている。

「向こう岸には、永富宗家の惣領、但馬守頼重殿の長子にあたられる頼清殿が迎えに来られているはずだ」

「米冨（美作守頼幸）様の方々、こちらでございます」

川霧に包まれ声の主の姿は見えないが、今日の案内役を務める永富但馬守の嫡男頼清が呼びかける声が、対岸からはっきりと聞こえてきた。この声を聞いた河梶取は、舟の進路に修正を加えた。

艪が続けて音を立てた。舳が少し右に向いた。

舳《へさき》に立った長太郎着頼が手を振りながら叫んだ。

「ここでございます。みえますでしょうか」

「此処が七地村たい。前回訪れたのはいつだったかのぉ……」

米冨親子と従者二人は霧が立ち込めているなか、鉢巻きを締め、舟の艫に立つ若い河梶取に礼を述べた。舟は常楽から渡し客を迎えにいくため、再び霧のなかへと消えていった。

「美作守御一行の方々、今日一日、父から案内役を申しつけられました永富但馬守頼重の長子頼清と申します。よろしくお願いいたします」

「こちらこそ、どうぞよろしくお願い致します」

「長男の着頼と申します」

「姉のあきから、私とは三歳違いと伺っておりますが」

「はい、十二才になりました」

「先日は、姉あきと妹しずが泉田の御館に遊びに行った際、いろいろとお世話になり、まことにありがとうございました。二人ともたいへん喜んでおりました」

「米冨家は男子三人で、娘がおりませぬため、こちらこそ楽しか一日を過ごすことができました。館前の辻郷の湧き水の様子をなんさま気に入られていたようで、嬉しく思っております」

数日前から、米冨美作守頼幸は泉田からの手土産をなににすべきか、あれこれ思い悩んでいた。永冨山田荘の七地村では川魚が獲れ、漆田村の中田台地の南は一面田圃が広がり、畑では漆の木が植えられている。永冨山田荘の南方に重層する山々は、村人にあらゆる山の幸をもたらしてきた土地である。

「お父上の但馬守殿は甘かもんがお好きと聞いておりますので、おはぎをたくさん作って参りました。皆々様でお召し上がりください」

「ありがとうございます」

永冨頼清は今日の案内先を米冨家の者たちに伝えることにした。

「七地村を通り、まず斉木の城へと向かいます。つぎに城脇の産土神が祀られている斉木神社に参拝し、その後、漆田へと参ります。夕方からは酒宴を斉木の地頭館で開きますので、そこへは最後に参ることに致します。館で父、但馬守がご子息出雲守（頼藤）殿とともに待っております」

各人、草履の紐に緩みがないかを確認し、案内役の永冨頼清を先頭に一行は川岸から永冨荘へと歩き出した。

男たちの正面には、「天道ヶ尾」と呼ばれる、細長く西から東へと延びる台地が横たわる。この台地の東側の崖を背にして、球磨川を治める河梶取の砦館が築かれている。

天道ヶ尾の低くなった部分に道が七地城へと続く。その先に「七地」「斉木」、さらに南へ行くと「漆田村」に入る。斉木と漆田の境には「中田城」がある。漆田の先は、「大畑《おこば》」といい現在も焼畑が行われている地だ。大畑村は永冨庶流「佐牟田」一族の所領である。

永冨宗家惣領但馬守頼重の領地は、斉木、七地、漆田、斉木奥水無――これら四村を合わせて「永冨山田荘」と呼ばれている。山があり田畑が広がっている。「山田」は特徴のない有りふれた地名と言えるが、だからこそ趣《おもむき》が感じられるものだ。これは、あまりにも古くから存在しているため、建立などに関する史料も言い伝えも残っていない、由緒がはっきりしない神社仏閣と似ている。

七地城の南側の小字も「山田」という。そこには七地城主永冨出羽守長名の館が建っている。城の西側一帯は「尾丸」と呼ばれる。

長続が相良宗家の惣領となり、相良姓を名乗るようになってから、此処「永冨山田荘」と比べて、人吉庄北方に位置する長続の本城が築かれている「山田村」のほうが有名になった。そこで「永冨」を付して「永冨山田庄」と呼ばれるようになっていた。

但馬守頼重の父・実重の弟にあたる前漆田城主永冨隠岐守頼澄には、又八頼恵という嫡子がいた。だが討死していた。また頼恵には家督を継ぐ男子が二人いたが、いずれも幼くして亡くなっていた。そこで頼恵の娘の婿として米冨家から永冨家へ養子に入ったのが、米冨美作守頼幸の息子頼藤だった。永冨出雲守頼藤と名を改め、漆田の中田城主となっていた。

「先懸《さきがけ》をなされ、生死もすぐには判らぬ敵陣奥深きところで討死することこそ武士の誉れと申しますばってん、頼恵殿につきましては実に惜しい方が亡くなってしまったと思っております」と米冨頼幸が述べた。

「頼恵殿の最期は刃が何カ所も欠け落ちた脇差ば右手に握りしめたままの、盗人どももそのままにしておいたほどの近寄りがたい神々しか御姿だったと、戦の後、亡骸を発見した僧から聞いております」

「多勢に無勢のなか、数多の敵ば討ち取られ、嫡男にふさわしか見事な最期だったのでございますな」

米冨美作守頼幸は個人的に――父親として――最も気がかりなことを永冨頼清に質問した。

「養子には出したが、息子頼藤は、漆田の者達から慕われ、中田城主としての務めは不都合なく果たしていますでしょうか。評判が伝わってこないことは、よかことと思ってきましたが……。(但馬守の叔父永冨又八)頼恵殿の御子息二人がご存命だったならば……などと息子が御家中の方々から非難されてはいないだろうか、と日々心配なもので……」

「夫婦の仲も睦まじく、家臣たちとの合議も、中田の所領運営も問題なく果たされているようにみえます。いままで、父や村の者たちから非難めいたことは聞いたことはなかです。ただ……」

「ただ……、とおっしゃられるのは……内ではなく外……、いや、御兄弟間の……」

米冨美作守頼幸は、一定した歩みをすすめながら、言葉は所々詰まってしまった。

「……その通りでございます。父上と叔父上（長続）との拗《こじ》れた関係——現在我々が抱える唯一の心配事でございます」

永冨頼清は率直に答えた。

歩きながら話すべき軽々しきことではない、と悟った頼幸は会話の内容をあき姫の人柄に転じた。

「あき様は優しい性格と芯の強さを兼ね備えた器量よしの姫として名高いだけではなく、お年頃なので、次々と縁談が舞い込んできていることでしょう」

「ええ……、ただ、姉上は縁談話を聞かされることを疎ましく感じとるごたっとです。最近は意固地にさえ見えてしまうほどです」

「あき姫の祝儀が決まりましたら、頼藤のときと同じように、我が家の地蔵を是非借りに来られてください」美作守頼幸は頼清に対しにこやかに話した。

泉田とその周辺では、祝儀時、その縁が長く続くようにとの願いを込めて、新郎・新婦と親しくしている者たちが米冨館前の辻郷湧き水の脇に佇む地蔵を借りに来て、新婦の嫁ぎ先に運び、暫く据えておき、元の場所に返すという習慣がある。地蔵の片耳は欠け、顔の部分もかなりすり減ってしまっていた。この慣習の古さを物語っていた。

「七地城へと向かう前に、住人にとって隠れた憩いの場である、よか所に寄りましょう」

永冨頼清はこう述べると、南ではなく田圃の広がる東へと歩き始めた。七地城の東端地域は「七地村大堀」と呼ばれていた。大きな堀とは球磨川を意味していた。

その場所は、七地大窪の田畑の畦を通り抜けた求麻川畔にある。刻まれた銘も判読できなくなっている古塔がひっそりと建ち並んでいた。ただ、それらは河梶取一族、永冨一族の先祖のものではない、とのことだった。田畑耕作時、太く高い柱や建物の礎石が土の中から出てきたことがあった。また球磨川に面した水に困らない所だが、川の流れが急に曲がっている地点のため昔から洪水に悩まされてきた。そこで水神を祀り、それを祭祀していたはるか昔の水主一族のものではないか、と七地の住人は考えていた。

清らかで柔らかな木漏れ日の中、静かに煌めく古塔の姿は美しい
古塔の土の下で眠る死者たちも気持ちよく眠り続けているようだ
釣り糸は垂れたまま、川風を感じていたい
座るのにちょうどよい表面が平らな大岩もある
朝陽の熱を岩が吸収し暖かい

一行は古塔に別れを告げ、先ほどまで歩いていた、南へと続く道に戻った。再び七地城へと歩き始めた。

七地村は「人吉庄」と「球磨荘」の境に位置し、交通、交易、経済の要所である。古くから都へ物資運搬の川湊であってきた。水運は陸運よりも少ない労苦で、たくさんの重い荷物を運搬できる。求麻川の流れをさかのぼることにはなるが、上球磨地域の流れは緩やかだ。多良木を経由し、湯前横瀬までは求麻川の水運。そこから先は、物資は山道を陸送され、米良を経由し、日向国府に着く。その地より再び川を下り、日向平野、そして日向灘からは海路となり、京などへ運ばれていく。

大堀には、水運と漁業を得意とする「河梶取」衆が暮らしている。魚を採るための仕掛け場「簗」がある。河梶取達は小勢で大切な物資を守り抜く術を心得ている。物資を奪おうと敵襲があれば、少人数でその場で踏み止まり時間を稼ぎつつ、その間に物資を積んだ舟を安全な一所まで移動させてしまう。つまり球磨川の流れを知り尽くしてからこそなせる守りの戦術だ。川上での戦闘では、多勢であっても河梶取衆を打ち負かすことはできない、とさえ云われている。

「お主らが馬をきちんと操れんと不甲斐ない死を迎えてしまうのと同じで、舟を操れん河梶取は生き延びることはできん」

河梶取が七地村を実質的に支配してきた。七地城も河梶取が築き、守り抜いてきた城だ。現在の城主は「永冨出羽守長名」、但馬守の父実重の弟にあたる。夫人は河梶取衆の長の娘である。重臣は河梶取衆で構成され、合議制がとられている。

七地城が建つ七地村の十字路を左に曲がると、西村、一武、多良木、免田、湯前へと続く上球磨往還である。そのまま東へと山々を越えていくと、「日向国」となる。反対に右に曲がり、西へと坂を上っていくと「原城」の後背地に通じている。南へと直進していくと斉木、漆田、大畑を通り、山々の先は国境となる。「日向街道」だ。日向真幸院の平野へと続く。

前方に、斉木城と斉木麓の西の端に上げられた物見櫓の上部が見えてきた。

永冨山田荘斉木麓と斉木の城

斉木の城と麓は、鳩胸川沿いの台地上にある。その東部分に城が構えられ、西部分は斉木の麓となっている。つまり、台地全体が惣構えと言える。

麓の北西部は人吉庄と地続きのため、空堀と土塁を設けている。麓への木戸の左脇には物見櫓が上がっている。

北西部以外は丘陵のため、麓の外郭には木の柵を廻らしている。木の柵の高さは六尺余り、一尺強の間隔で打ち込まれている。縦には二本の木が縄で固く結ばれている。

鳩胸川は、日向境の山々を水源域として北流し、大畑、漆田、斉木を経て、人吉と球磨の境である七地村で求麻川と合流する。斎木城二の曲輪南東側は、岩肌の露出した急な崖となっており、直下に鳩胸川が流れている。

「麓」と呼ばれてはいるが、城下町のように町屋、侍屋敷などに区割りされ、家屋敷が集まっているわけではない。この台地上には、「たのなぬし」と呼ばれる名主《みょうしゅ》の庶子一族が暮らす屋敷が点在している。「名主屋敷」と呼ばれている。櫓部分はない薬医門があり、一重の空堀と土塁で囲われてはいるが、建物は館というよりも小屋と呼ぶほうがふさわしい簡素な造りだ。

台地の大部分は畑地だ。東部分には城の大手口に通じる土橋、その西側には「地頭館」と呼ばれている斉木但馬守頼重の館が建つ。この館の東側を除いた三面は馬場《ばば》や射射場《いしゃば》として使われている。

名主一族の惣領が住む本館は、「名主館」と呼ばれ、永冨山田庄の要所――かつて畑のなかに池塘のように存在していた名田を見渡せる微高地、いわゆる「名字の地」――に構えられてきた。

ところで、斉木麓の西南の隅に一重の水堀と土塁で囲われた他の屋敷と比べ広さはあるが、御世辞にも手入れされているとは言い難い、古ぼけた館が建つ屋敷地がある。この屋敷の主は館には住むことなく、屋敷前の道の脇の地べたに粗末な小屋を架けて暮らしている風変わりな男だ。村人からは「ものぐさ太郎」と呼ばれている。

村人が「庭の草が茂り放題たい、草取りはせんとか」と太郎に尋ねると、「冬は必ずやって来る。

草花は枯れる。その必要はなか」とぶっきらぼうに答え、下を向き、猫の毛づくろいを始める。

「なぜ館に住まんとか。人が住まんと、ダニやシラミが増え、さらに住めなくなり、荒れていくだけたい」と村人が忠告すると、太郎は振り返ることもせず、指先だけで背後の家を示しながら、「あれは仮の住処、この道端の小屋と『カマノクド』こそが我が根城たい」と言い、道に向けていた顔を水堀側へ向けてしまう。村人と太郎との間にはこのようなやりとりが数えきれぬほど交わされてきた。ただ、亡き母が使っていた部屋だけは毎日清掃がなされている、という噂だ。

太郎は働こうとは決してしない。風貌は似ても似つかないが、猫のように一日の大半を寝て過ごす。道脇で寝ているので、道の脇を歩く猫たちとも視線が合いやすく仲良くなれるとたい、と村人は分析している。夏場以外、太郎の脇には必ずといっていいほどマタタビに酔い痴れた猫が寄り添っている。農作業のため田畑と行き帰りをする者に対して、「麻《ぬさ》をすって寝とるほうがマシ」などと悪態をつくこともある。

こうした言動をとる太郎は無為に一日を送っているように見えてしまうものだ。このいっぽうで、村の者から慕われているのも事実だ。筍の皮に包まれた握り飯が小屋の前によく置かれている。ものぐさ太郎には不甲斐ない振りをしているだけで、真の姿は武辺堅き男だ、という伝説めいた評判もある。なぜ、太郎は村人から慕われているのか。この一番の理由は、堀の浮草の上にのれると勘違いし、堀で溺れかけた村の童をこれまで三人救っていたからだ。童だけではなく、夜中、酔っ払って落水した乙名《おとな》たちも二人助けている。

もうひとつの理由は、太郎のもつやさしい心性にあった。

太郎は戦で父を亡くしていた。姉二人も嫁ぎ先の一族が戦いに敗れ、音信不通。亡骸が発見されたわけではないので、姉たちは生まれ故郷である此処に戻ってくる、と太郎と母、村人たちは信じていた。だが母親の病死というさらなる不幸が太郎の身にふりかかった。それ以来、太郎は村から姿を消した。生家であり、母をひとりで看取った屋敷にもしばらく寄りつかなくなってしまった。太郎は日中、人吉の城下を歩きまわり、日暮れ後は野辺で寝る生活を続けていた。

母の死から数年経った頃、太郎は屋敷に戻ってきた。しかし、太郎が暮らし始めたのは館でも屋敷の庭でもなく、その前の堀脇に懸けられた小屋だった。

草履を脱ぎ、館に上がると母親のことを思い出し、涙が止まらなくなってしまうらしい——この感情の起伏について、太郎が村人に打ち明けたわけではなかったが、早朝、近所の者が涙を流し家から飛び出す太郎の姿を見ていた。

「太郎は変わり者ばってん、なんさまやさしか心の持ち主ばい」

村人は風邪を引いている太郎の姿を見たことがない。太郎は頑強そのものだ。人手は足りないし、開墾する田畑もある。太郎は、但馬守や猫好き同士で仲のよいあき姫からも、自分の名のついた水田——名田《みょうでん》を持つように説得されてきたが、家前の小屋でのこの暮らしが性に合うから、と返答するだけで、まったく聞く耳を持たなかった。

徒然なるままに暮らしているようにしか見えない太郎だが、亡き母を思い続けることこそが生きがいであり、本業なのかもしれない。子供を救助したときから、「昼間から、麻の葉や花穂をすっとる暇があるなら、せめて麻《ぬさ》づくりに精を出せ」などと彼に向かって口うるさく言う村人はいなくなった。人をだましたりしない、これも太郎のよいところだ。

斉木城の東南の鳩胸川沿いには、古くから「カマノクド」と呼ばれる、水の流れをせき止めるかのように多くの大きな石が集まっている場所がある。はるか昔、斉木の住人の先祖たちも、この川の中の巨石群に一所として統合された《ホリスティック》神聖な高遠さを感じ、定住を決めたと口碑伝承がのこる。

晴れた寒い時分は、カマノクドはものぐさ太郎の根城だ。太郎は家前に架けられた小屋から、カマノクドへと居場所を移し、猫を抱いて藁を敷き、その上で寝ている。猫とは違い、太郎にも手なずけることはできていないが、川獺《カワウソ》の巣もある。岩ばかりの河原なので暖をとるためにたき火をしていても火事の心配はない。その火で川魚を焼き、骨は猫の餌となる。

離れたところから太郎の様子を眺めていると、東の方角を向き、正座したまま何事か言い続けていることがある。これまで複数の村人が、お主は何を言っているのか、と尋ねてみたが、太郎は教えてはくれなかった。

ひとりの古老の推量では、水が……うんぬんかんぬん、とつぶやいているとのことだったが、近くに人の気配を感じると太郎はその独り言を止めてしまう。亡き母が使っていた筆で、石肌に墨汁ではなく水をつかい文字らしきものを書き続けていることもある。

「雨乞いのごたることか」

「いや、雨季も雪が積もった冬季もやっておったから、雨乞いではなかと思うばい」

「では、念仏か」

「極楽浄土に行けるように、と念仏を唱えるような信心深さがあるようにも思えんばい」

「太郎は、風変りで間の抜けた、いい加減な奴だと思われておるが、会話をしてみると、きわめて利発な者だと分かるばい。しかも普段の言動からは想像もできんような、右筆に勝るとも劣らぬくらいのひじょうに美しか字を書く」

「そぎゃんたい。太郎のご母堂は達筆だったけん、親譲りの腕前たい」

さっきまで家前の地べたに莚を敷き寝ていた太郎が堀脇の小屋に移動し、その中で寝はじめた。すると雲一つない青空が一転大雨となった。村人はこうした偶然の一致を何度も見てきた。

「太郎様は天神様の直系の末裔にちがいなかばい」

家前の地べたに莚をしき寝そべりながら眺めることができる空は、西から北の範囲に限られてしまうと感じるが、村人は、太郎の居場所で天候が分かる、と評判がたつようになった。しかし、村人が握り飯とともに天候を尋ねに訪れても、その頼みに耳を貸さすことは少なかった。特定の村人にだけ答えていたわけでもなかった。単に、孤独を愛し、猫のように気まぐれな性分のためだった。

斉木の城に石垣、天守閣、御殿は存在しない。水堀や堀切造成時に掻き揚げられた土を盛り、固く叩いた土塁をめぐらしている。普請工事というよりも土木工事によって築かれた城と言える。城内の建物に天井はなく、屋根も瓦ではなく板や萱で葺かれた掘立小屋を大きくしたという表現がふさわしい質素な造りだ。つまり、近世の城のように領民や他の領主たちに対して権力を誇示する象徴として築かれた大城郭では決してなかった。

城は、台地の東部の小高い丘陵を利用して築かれている。城の背後は東方に行くに従い緩やかに下っていく舌状の平坦地となっている。鳩胸川が丘陵東端を流れているが、城の搦め手の防御のために二重の堀切が設けられ、土塁も盛られている。さらに物見櫓「カマノクド櫓」も上げられている。斉木の麓と城は、丘陵の地続きである。そのため麓と城大手口との間には、土橋部分を除き、その左右には深く幅の広い堀切が設けられている。

櫓門の木の板で覆われた屋根上では、数匹の雄猫をよく見かける。餌は十分なのであろう。雄同士での争いはめったに起こってはいないようだ。仔猫たちは屋根上や櫓部分に登りたくても、それはできないため、母猫とともに地上にいる。雨が降ると見張りの兵が仔猫と母猫を櫓部分に抱え上げ、櫓の板張りで遊ばせている。このため斉木城の櫓門は、猫の根城であり、異名「猫門」を持つ。門柱や板部は爪を研いだ跡が無数に残る。

大手門に向かって左上には、物見櫓が上げられている。これが中世城といえる斎木城では最も立派な建築物といえる。

掘っ立て柱がむき出しではなく、裾部から物見の部分までは板で覆われている。内部は、矢盾となる木の板の倉庫として使われている。上部の望楼も四方に突上戸の板窓のあるしっかりとした造りだ。いざ戦となると、城の要所に、取り出された木の板を用い、矢を射る最前線の拠点となる臨時の櫓も増築される。まさに「やのくら、やぐら」である。

城・館の土塁の上には内部が見通せないように翳しとして、よく繁る杉や松が植えられている。含まれる樹液で、松は生木でも燃え、籠城時には薪となる。

麓を扇形に取り囲む土塁の上には梅の木が植えられている。春先には、毎年、村内外から人が訪れ、梅花の宴が開かれてきた。

城の周りに廻らされている木柵の高さは六尺余り、麓の外郭に廻らされている柵とは違い、猫がやっとすり抜けられるほどの狭い間隔で土塁の上に打ち込まれている。その代わり、縦には二本の木が縄で固く結ばれているだけである。

温かい日は、土塁の上の木柵の外側の犬走り部分で、猫たちは睡眠、毛づくろい、子育てをしながら寛ぐ。前は水堀であり、安全な所をよく心得ている。

一の曲輪、二の曲輪、三の曲輪があるが、各曲輪の周りは土塀、板塀ではなく、木の柵が振られているのみ。曲輪の入り口には木戸と小屋が設けられていて、年齢を重ね、足腰も衰え田畑を耕すことができなくなった年寄りが輪番で門衛として座っている。

近世城の本丸に相当する一の曲輪には、祠と小さな藁で葺いた粗末な掘立小屋があるだけだ。

二の曲輪は、鳩胸川が上流から下流へと大きく左に膨らんだ急峻な崖の上の地形を利用して構えられている。急峻な法面には小動物も近づけないためか、土鳩の棲家となっている。鳩胸川の名前の由来の地である。雑木払いをした後は、普段は草木や地中に隠れている虫が地表面に現れるので、それらを啄むため、「ボッボーボッボー」と警戒の鳴き声を発しながら、番《つがい》でさかんに歩き回っている。ときどき雉《きじ》も見かける。

三の曲輪から二の曲輪へと通じる道には、寒い時期を除いて、蜷局をまいた蛇をよく見かける。猫は小さな蛇を見つけて、いたぶるかのように遊んでいる。しかし餌は十分に与えられているためだろうか、食べることまではしていないようだ。

蝮《まむし》もいるが、不思議千万なことに、噛みつかれ、亡くなった村人はいない。

「二の曲輪に棲みつく蝮は、この斉木の地の守り神だ。大切にしなければならない」と、村人はよく話している。

三の曲輪は、永冨山田庄全体の政《まつりごと》を行う公的な場所として使われている。台所と家臣たちの詰所がある。

城の後背地は、左右が断崖絶壁の長細い平たん地となっている。その先は緩やかに下っている一所を除いて、急峻な崖である。東端は鳩胸川が流れている。

城の裏にあたる搦め手には、籠城の際、斉木城および永冨山田荘の住人の命運を握る施設が集まっている。現在但馬守の両親は亡くなっているので現在住んでいる者はいないが、隠居館が建つ。湧泉もある。その地には地蔵が祀られている。城がいかに堅固で、また一騎当千の兵が数多詰めていても、水が確保できていないならば籠城は無理である。戦いの最中、兵たちは苔むした岩石に水がしみ込むように水を欲しがる。このため井泉のある搦め手は「水の手曲輪」という別名をもつ。

搦め手には米、武具、家宝などを貯蔵・保管している大きな土蔵が建つ。その周囲には、防火のため矢柄となる篠芽竹の繁生する林となっている。そこには茶室がある。竹が茂っている所を露地とすることで、人里から離れた山中の草の庵の趣を醸し出している。茶室は城中で唯一実用的ではない建物と言える。

先祖伝来の宝物が土蔵には収められている。但馬守自身さえ、めったに見ることも、手にすることもない品だ。蔵の奥に鍵のかかった鉄の格子の内側に、長い桐箱と平たい桐箱があり、錆びついた剣と鑑が収められている。剣の柄の部分には――真ん中の三文字は判読できなくなっているが――「狗○△×狗」と文字が刻まれていた。現在、目視ではそれらの文字列は確認できないが、以前とられた拓本が残っている。永富宗家が相伝してきた品なのか、この斉木の地に代々伝わる品なのか、あまりにも古くから継承されてきた宝物のため由来ははっきりしない。

永富一族の者らは、文字「狗」から、事績は失われたが、かつて人吉球磨盆地を治めていたと伝承がのこるクニ「狗奴国」の統治者ゆかりの品であると考え、斉木の地は住みよい地の証であると大切にしてきた。自らを蔑称「狗《いぬ》」と名乗っていた点について疑念をはさむ者はいたが、現に「犬童《いんどう》」姓をもつ大族が中球磨地域に存在しているため、その疑いを支持する者は少なかった。

搦め手の北側には抜け道が隠されている。

「この先の三差路を左に曲がった先が漆田村です」

村名が物語っているように、漆田では漆と木蝋作りが盛んである。

右折し山手に歩いていくと「斉木奥水無村」に着く。村の領主は奥水無名主《みょうしゅ》永冨彦八頼遠。館は「名主館《みょうしゅ》」と呼ばれている。重畳たる山々こそが要害の城であり、狩猟採集の際、寝泊まりのため山中の各所に掛けられている小屋が砦といえる。緩急あらば山々に上がる。よって斉木奥水無には城はない。斉木水無村の西から始まる山道は「蓑野村」に続いている。その地を南から北へと流れる「無勢川」に沿って下流へと歩くと「原城」の西側に至る。一行の左後方には中田の城が建つ。竪堀がよく見えている。この竪掘は、敵が上手く登れないように、掘削の角度を一方は鋭く、片方は浅くしている、と永冨頼清が構造上の特長を明かした。

一行は中田麓のある台地の上へと続く登り坂の途中で、笹の葉に包まれた握り飯を食べながら休憩をとることにした。南の方角が開けていて漆田の水田が広がっている。

「美しか眺めですね……」

米冨家の者たちが感嘆の声をあげていた。

美しさの領域を超えている
そんなときどのような言葉で言い表すのが相応しいのか
この場所に立つたびに、その言葉を思案しているしかし、未だに見つからない――

永冨頼清に限らず、永冨山田荘の住人は風を感じながら稲田の景色を眺めることが好きだ。四季ごとに漆田の美しさは変化する。冬の空の下、此処に佇んでいると、東方の高く連なる尾根から中腹、麓、平地の乾田へと通り抜けていくのを感じる。いずこからとも知れない遠くの方から吹く風のうなる音も聞こえてくる。

「ばってん、誰もが美しいと感じるということは誰もが欲しがっとる証拠たい。水田という一所は隠すことはできぬ。一つしかなかもんを多くの者が欲しがると、必ず争いが起こるものたい。この言葉は此処に来るたびに、父頼重が私に必ず話すことでございます」

皆一様に頼清の話に頷いていた。米冨頼幸は相良家の故事について語り始めた。

「鎌倉初め相良頼景、長頼両公が人吉球磨の地に下向してこられた後も、遠江国相良荘には長頼公の弟の頼忠、頼綱公の御一族がとどまり、相良湊平田という地に城を構えられていた。されど、今では、平田の城は廃れ、寺院となってしまったと聞いておる。鎌倉殿の血脈も孫の代で途絶え、衰微してしまった鎌倉の地と同じく、現在の相良の地の様子は鎌倉の頃の繁栄はないと聞いておる。――長頼公は、承久の乱の宇治川の戦いで手柄を挙げ、軍功として執権北条義時公から遠江相良の故地を正式に回復し、播磨国飾磨郡の所領も賜っておられる。さらに豊前国上毛郡成恒荘の地頭職にも補任された。しかしその後、いずれの御所領も失われた。とくに相良荘は、人吉球磨とは異なり、温暖で、物資輸送の要となる相良湊がある。また平地も広がり、米もたくさん収穫できる。鎌倉の地にも近い。このような良き地は誰もが欲しがるものだ。相良荘は他領からの侵攻にさらされ、戦乱が絶えず、いまは領主もいない荒廃した土地になってしまっているようだ。――領地を守り抜くのは難しい。相良一族は鎌倉からは遠く離れた西国の地に下向されてきたからこそ命脈を保っているといえるのではなかろうか」

実際、遠江相良荘は、時代を経るにつれ、今川、斉藤、織田氏により領有されていった。一時は武田信玄の子勝頼に領有されたこともあったが、武田家も滅び、あの側用人田沼意次が相良藩主となり、相良城主となった。しかし老中失脚後、相良城も取り壊され、結局徳川家の所領となった。

永冨頼清が下方に広がる乾田の一所を指さしながら、皆の注意を引かせるように声高に言った。

「田んぼの中に、そこだけ小高く、木が立っている一所が見えますか」

――山桜もよいが、水田の中の一所に一本だけ木が気高く立っている景観も美しいものだ。たとえ己一人となっても、一所懸命の地に建つ館を守り抜こうと、表門に踏みとどまる兵《つわもの》の姿と重なる。

その一所は「万歳」と呼ばれてきた。「万歳」とは、豪族「平河氏」の姫の名に由来していた。かつて、その辺りは万歳姫の名田で、小高い部分は館の名残ではないかと伝わる。平河氏は平河義高を惣領とした豪族は、鎌倉初め「血敷原の戦」で相良長続勢に敗北した後、没落していった。時代は下り、求麻川北側の永吉荘山田が永冨長続の所領となったのに従い、此処漆田村の万歳名の稲田は永冨一族が領することとなった。

弓矢と薙刀を畔に置いて、農作業を行う——これぞ漆田の者たちの誇りと伝統だ。

無風。東の丘陵を背にした——ここら辺りでは「山付《やまつ》き」と表現するが——屋敷から煙が真っ直ぐ立ち上っていた。

「私の幼馴染で、古風健儀な兵と評されている孫四郎の屋敷の煙です」と、永冨頼清が申した。

「おっ、どこからでしょうか。かまどで魚を焼く匂いが……、もう夕刻ですな」

「そろそろ寺の鐘の音も聞こえてくることでしょう」

あぜ道に、五日町の市で手に入れたと思われる品々を詰め込んだ竹かごを背負い歩く年寄りの姿が見えていた。

「では、父が居ます地頭館にて宴席を設けておりますので、斉木麓へと帰りはじめると致しましょう」

由来

「なぜ、お城とこの地の名は「永冨」ではなく「斉木」というのでしょうか」

斉木麓が近づきつつあるなか、この質問を聞いた案内役の一人が涙ぐんでいた。米冨頼幸がその訳を訊ねてみた。

「頼清様も、かつて同じ質問をなされたことがありまして……、そのことを思い出し、不覚にも目頭が熱くなってしまいました。申し訳ござらぬ――」

この案内役は頼清の古くからの家臣で、幼少の頼清の供をしながら村を散策していた頃の記憶が蘇っていた。

「あっという間に立派になられました。姫たちのご成長もあっという間なのでしょう」

「城の南側の鳩胸川の近くに神社が建っております。由緒も古く、神主の名字は代々「斉木」と申します。こん神社が村名の由来と聞いていますばい」

同行のもうひとりの頼清の家臣が先ほどの質問に答えた。

元々、斉木神主一族は「在家」という開発根本領主から分出していった。在家の者たちは、農耕を土台にして、河梶取、夫領という物資を守る運送者、塗師、鋳物師、弓師、彫金師等の職人、神官職などへと分化、特化していった。

斉木の村人たちの先祖は「球磨郡西村」で暮らしていたと伝わっている。七地村とその東方の「一武村」との間に位置する村である。言い伝えでは、かつて西村はクニの中心地だった。台地の上に大きなムラがあり、たくさんの住人が暮らしていた。求麻川を物資輸送の力として、また戦略的に活用しながら繁栄を誇り独立を守っていたようだ。現在の西村は昔の面影を伝えるものは跡形もなく鋤平化され、水田や畑が広がっている。往時を伝える遺物としては、そのクニが滅ぼされた後、征服者が権威を誇るために築造した――丸と縦長の三角形が組み合わせた妙な形をした――古墳だけだ。

そのクニの名前は「狗奴国」「熊襲国」だったと伝わっている。読み方の共通性から現在の地域名「球磨」の由来と考えられている。

当時多数のクニが集まってできた巨大な連合国家が存在していたが、狗奴国は服属せず、対立を続けていた。巨大な敵にもかかわらず、狗奴国が敗北しなかった要因は、国の四方を山々に囲まれた盆地という天然の要害に因ることが大きかった。クニ全体が堅固な土塁に守られていたと言える。

ムラの周囲、木の柵、その外側には球磨川やその支流から引き込んだ水濠が廻り、要所には物見の井楼が上がっていたと伝わる。この伝承は、当時も、ムラ全体を防御する必要があるほどの争いが起こっていたことを物語っていた。実際、開墾時、水田から鏃とともに穴の開いた頭の骨や首のない人骨が出てきた、と斉木の者たちは西村の住人から聞いてきた。

ムラという集団から飛び出した一人の若者が斉木の地で暮らし始め、鳩胸川の水や山間の谷から湧く水を灌漑に利用して田畑を開墾し始めた、と語り継がれてきた。

土地はあっても、すぐには収穫できない。また飛び出した元の集団に戻ることもできない。頼れるのは自分だけ。この若者は木の実や果実、川魚など狩猟採集で生活していた。当時の地名も、その若者の名も伝わっていない。ただし、どこに住み着き、生活を営み始めたのかに関しては、はっきりとした伝承がのこる。若者は現在の「斉木神社」境内に居を構えた。この若者を始祖とする一族が「斉木」の根本開発領主と言えた。

斉木神社に記録が残っていてもよさそうなものだが、あまりにも古い時代のことなので何も伝わっていない。斉木神社は、斉木城が築かれている丘陵台地を背にした微高地に建っている。水も確保でき、防御性もある一所だ。「鳩胸川」にも近い。洪水被害に遭わないように川沿いではない地が居所として選ばれたのだろう。神社の東側には鳩胸川が流れ、斉木城が築かれている丘陵と中田城が構えられている丘陵に挟まれた平地だ。丘陵の周縁からは水が湧く。田畑を開墾するのには絶好の地だ。人口が少なくて、自由に住居を選ぶことのできた時代には、飲み水の確保が最優先された。人間は水場近くの一所に家を建て住み着いた。

この若者が西村を飛び出したとき、はみ出し者、ムラの掟を破る不届きな奴などと散々に非難された、と伝わる。古今東西、新しい時代を創ってきたのは、古い体制に抗い続けた者たちといえる。支配者とその取り巻き連中からは、アウトサイダー、不埒千万の輩どもと非難され、罰せられた者たちだ。貴族の時代を終わらせ、初めての武家政権を作った平家一族しかり。しかしながら貴族化してしまった平家を滅ぼした源頼朝もまたしかり。

男女を問わず若者たちが西村のムラを次々と離れ、斉木の地に移り住んでいった。斉木の地で仲間が増えていった。たった一人の若者のとった行動から、イエが興り、家族が増え、世帯が生まれ、集落がこの斉木の地にも誕生した。皮肉なことに、狗奴国、熊襲国の中心地だった古巣の西村のムラはなくなってしまい、新天地である斉木の地のほうが豊かになった。

皆で協力し、斉木村内にとどまらず、鳩胸川という水系を灌漑用水として漆田、七地、斉木奥水無を開墾していった。さらに分出した一族が、毎月五日に市のたつ人吉庄「若宮神社」周辺の平地の開拓も進めた。

西村の集落を最初に飛び出し、たった一人から集落「斉木」を興した若者は、斉木の長として死後も崇められた。この長の遺体は境内の裏に立つ大木の下に埋葬された。村内ではこのように語り継がれている。その木は神木となり、神聖なという意味を持つ「斉」がその木に付与され、社名、名字ともに「斉木」を名乗るようになった。

やがて斉木一族は大族となり、斉木神社の神官一族は、斉木という場所を由来とする苗字を名乗り続けていた。他の者たちは平安中期頃から、五穀豊穣を願い、また縁起の良い名字を名乗り始めた。そのような名字を「嘉字」という。名田の開墾と灌漑掘削に励むとともに、それらを自衛するため武芸も鍛えていった。こうして「兵《つわもの》」「武士」と呼ばれる存在になった。つまり、斉木神社は永冨の一族にとって重代相伝の「名字の地」といえた。

相良一族の名字「相良」についても同様である。かつては「砂河原《さがら》」と書いていた。相良一族は藤原南家の出身である。遠祖が京都から遠江国に下り、住み着いたのは、萩間川が駿河湾に注ぎ込む地域の一所だった。長年にわたり川の上流から運ばれてきた土砂が堆積し河原をつくっていた。名字「相良」はこの地形に由来していた。その後、好字といえる「相良」に改名された。

斉木神社から斉木館へと続く、前方の坂道を上っていく猫たちの姿が見えた。母親を先頭に、その後ろを子猫たちがじゃれ合いながら、坂をジグザグに登っていた。母猫は子猫たちが後ろをついてきているか、なんども立ち止まり、振り返っていた。

「我々より一足先に餌をもらいに館へと向かっているようだな」

米冨頼幸が息子着頼に述べた。

「猫の名の由来は、ほとんど眠っているから「寝子《ねこ》」っていうとたい。赤子と同じで、ほとんど寝ているだろ。愛くるしか」

「愛くるしか、って……」

「ひじょうに可愛いらしか、という意味たい」

「しず姫も子猫に似た可愛いお顔立ちだから、愛くるしか、とです」

「そうだな」

「ただ……姉にあたられるあき姫は少し苦手です。睨まれたことが何度かあります」

「おいおい、今からお会いするのに、なんていう物言いを……」

米冨頼幸は永冨頼清にあき姫の性格について尋ねてみた。

「館内の猫、鶏、兎などの小さな動物を世話しているのは、あき姫でございますよね」

「そん通りです。つめたい感じを与えてしまうところがありますが、ひじょうにやさしい性分を持っております。照れ隠しでございましょう」

　あき姫は、猫たちに毛の色や目の感じから、きら、ちゃこ、しまといった名前をつけている。一番お気に入りの、黒毛に白髪が混じったような毛色の雄猫は「猫頼《ねこより》」と名付けた。「頼」という相良、永冨に共通する通字を付すことに批判が起こったが、あき姫は聞く耳を持たなかった。

　鶏が産んだ卵を集め、鶏小屋を掃除するのは、あき姫の朝の日課だ。妹のしず姫もよく手伝う。鶏の卵は風邪などで床に伏せている者にあき姫が届けてきた。兎も飼われている。ひじょうに警戒心の強い動物だが、あき姫には近づき、手から直接餌をもらっている。

　斉木村では、夜中寝ていると館の中からはネズミが走り回る音がよく聞こえていた。あき姫が猫を飼い出すようになって以来、ネズミがめっきり減ってしまった、と村内で評判になった。かつて中球磨地域の豪族平河義高が乗る馬の脚に蝮がかみつき、落馬したことがきっかけで、村中で蝮狩りが行われ、村内から蝮が一匹もいなくなった。この言い伝えと似ている、と一行の者たちは大笑いしながら斉木神社脇の坂道を宴の開かれる館へと向かっていた。

「さあ、但馬守様や姫たちにお会いできますな」

館宴

但馬守頼重の館は「地頭館」と呼ばれている。名主たちが暮らす館との違いは、敷地の広さ、客人を接待する主殿の大きさ、表門は薬医門ではなく櫓門――以上三点にすぎない。

斉木の住人は、永富宗家や但馬守頼重を主家、主君とみなしてこなかった。両者は「結集」と表現するのがふさわしい関係が続いてきた。ただ昨今は、「主従」という関係をつよく感じてしまうようになっていた。この変化は、但馬守頼重の実弟・永富長続が、前代の堯頼に替わり相良惣領の地位に就き、相良宗家の家督は下相良家から永富家が継承することになったことに起因していた。

斉木の村人は、長続の取り巻き連中が兄弟を反目させようとけしかけているのを案じていた。但馬守は斉木の者たちの意見を実によく聞いていた。毎夜のごとく酒を酌み交わしながら、斉木の村人たちとの間で談義が交わされてきた。

近ごろは、但馬守が長続に書状を送っても、返書がこなくなった。長続の居城は人吉城。嫡男頼金を山田城に詰めさせていた。現在、長続自ら牛屎院に出陣し、その地に滞陣しているが、出陣する以前から長続は本貫地である斉木の地を訪れなくなっていた。斉木の住人には長続が誼を交わすのを避けているように感じられていた。よそよそしさを通り越して、兄弟間の心は完全に隔たってしまっていると嘆く者もいた。また長続の変調は本人の意思ではなく、取り巻き連中がそう仕向けた結果ではないか、と勘繰っていた。長続は主君の身を案じる正路な譜代の近習を遠ざけるようになっていた。

地頭館の面積は、縦横半町ほどの正方形だ。その四方を土塁、その外側を水堀が廻らされている。表門は二階建ての構造。一階は出入り口と左右に開く門がある。二階は防御のための櫓となっている。表門の左右には、桜の木が一本ずつ植えられ、毎春この二本の桜を愛でながらの宴席が開かれる。

館の殿舎は、公邸である「表」と私邸と言える「奥」に大別できる。表は、玄関、広間、書院が南東から北西へと雁行の形で建てられている。表の東に台所がある。南と西の敷地は庭だ。有事の際は飲み水と消火に役立つ池がある。館の北側に、居室、寝所、厠、湯殿などの奥の造りがある。派手さ、煌びやかさは微塵も感じられない。質素で、特徴はない典型的な武士の館といえる。

玄関で、あき姫としず姫が並び、米冨家の者たちを出迎えた。

「ご無沙汰しております。お元気そうで何よりでございます」

「はい、おかげさまで息災に暮らしております。わざわざ斉木にお越しくださいまして、ありがとうございます。しず、あいさつは?」

「うん、げんき」

「数カ月で、一段と麗しくなられましたな」

「髪が伸びただけです」

「あき姫はお年頃ですな、むしゃんよかお相手は見つかりましたでしょうか」

「分かりませぬ」

そう愛想なく言うと、あき姫は横に立つ妹しずの髪を撫ぜた。

「しずの髪も伸びました。今度切ってあげますよ」

しず姫は、姉のあき姫を見上げて、「うん」とうなずき返した。

米冨と永冨両家の間では、頼藤と中田の姫との間で養子縁組が行われたので、あき姫は米冨の者たちを意識せざるを得なかった。

挨拶が済むと、一同は玄関から宴席が整えられている広間へと移動していった。

座敷飾りとしては、まず棚には、代々永冨宗家に伝わる青磁大皿が飾られている。客人がいないときは、広間は人気はなので、猫たちが寄り付きやすいようだ。

夕立前の蒸してしまう盛夏、この深さのある大皿に猫が寝ていたことがあった。陶器なのでひんやりとして気持ちが良かったのであろう。但馬守が大皿の上に寝ている猫を見つけたが、そのままにしておいた。それ以降当皿は「猫皿」と呼ばれるようになった。猫が盗んでいけるものは、口に咥えることができる子猫くらいの大きさまでだ。重たすぎて、猫には動かすこともできないので、壊されることもない、と但馬守は寛容な態度だった。

猫が鎧の縅で爪を研いでいたことが何度かあったが、床《とこ》には先祖伝来の甲冑と太刀も鎮座している。

床に向かって左側には庭が広がる。

床の左には付書院があり、しず姫が初めて、ろくろを回して拵えた用途不明の小さな器がちょこんと飾ってある。季節の移り変わりとともに、飾る器を変えていくことは、あき姫の助けを借りながらではあるが、しず姫が行っている。

しず姫は料理の配膳に興味を持つようになった。包丁を使い、煮炊きをするのは禁止されているが、食事の際に楽しげに自作の器を並べている。村人たちには、しず姫は一所懸命ならぬ、一食懸命だ、と評判だ。最近朝食の席で、しず姫は「ろくろばまわしたかけん、七地（の窯元）にいきたかばい」と強請《ねだ》り続けている。

広間の奥に書院がある。高位の客人を招く、格式の高い部屋である。書院の奥の部屋で但馬守は日中の執務を行っている。


斉木館の広間にて宴席が始められた。

かつて朝廷同士が対立していた頃、豪族平河一族の所領だった球磨川北方にあたる山田川沿いの永吉庄山田村は、永富のものとなった。現在は但馬守の弟・長続一族の所領となっている。長続が相良宗家の惣領となって以降、山田村だけではなく、斉木、漆田、七地、斉木奥水無、四村からなる永富山田荘も、さらに豊かな地になっていった。反動として豊かさを妬む人間も増えていった。

市に買い物に行った際、斉木の住人と分かると値段をふっかけられ、かげ口が聞こえてくるといった嫌な経験をすることが多くなったのも事実だ。やがて、同類憐れむ者同士が群れとなって永冨山田荘を襲ってくるのではないか、と斉木の住人の間でやりとりされてきた冗談交じりの会話が真実味を帯びはじめていた。

自ら田楽を舞うなど、終始機嫌がよかった但馬守が神妙な顔に変わった。そして口を開いた。

「自助努力もせず、他人を妬んでばかりの、昼夜を問わず濁酒を飲み続け、賭け事に興じている輩の類《たぐい》の話をすっと宴席が興ざめとなってしまう。今夜は話はせずにおこう……。気がかりなのは実弟長続のことだ。私が直接弟から話を聞いたのではなく、風聞という言葉を使わねばならぬのが悔しかばってん、弟がどうも変調をきたし、出身一族である我々永冨宗家が人吉城に攻め寄せてくると疑心暗鬼になっているとのことである。わが甥にあたる為続は若干四歳ながら、歌道、とくに連歌に興味を示しているというのに、なんたることぞ……」

但馬守は大きくため息をついた。

宴席に出席していた名主と田のなぬし、中田城主永冨頼藤、奥方などの家族は、但馬守の表情を気遣わしげに見つめていた。

近頃、夫である但馬守の表情が曇りがちで、但馬守の酒が進んでいないことを奥方のまさは気にしていた。夫・但馬守は客人をもてなそうと宴席を楽しみ、盛り上げてはいたが、それは表情だけで、本心は弟長続をふかく心配し、宴会を楽しむなどの余裕はなかった。

まさにはそのことがよく分かっていた。

但馬守が客人である米冨美作守頼幸の顔を見た。長続の変調の原因について語り始めた。

「弟は、讒言勢力という呪術師に心を支配され、自分を失ってしまっております。しかも、讒言を自分自身では直接確かめることができない薩摩国牛屎院で聞き続けている有様。さらには（相良宗家の）家督を奪った実績があるからこそ、それを奪われることを人一倍恐れとります。その奪い手とは、これまでは相良宗家の残党や人吉球磨の国人勢力と言えました。しかし、讒言勢力の輩どもは、我々永冨宗家を新たな奪い手として担ぎ出しました。畢竟、我々をつぶし、長続に権力を集中させる。そしてその権力・地位の一部を移譲してもらいたかとが讒言勢力の目的たい。いずれは自分たちが長続からすべてを奪ってしまう魂胆なのも明らかばい。大きな一族があり、もう一つ大きな勢力があるならば、二つを戦わせるように仕向け、弱体化させた後、自分たちの利益につなげようとするのが小賢しい勢力がとる常道ばい。――弟長続は此処斉木村に生まれ育ち、村の力を源泉に勢力の拡大を図ることに尽力してきました。にもかかわらず、郡内一の権力者となってしまうと、一転して、斉木村との絆は薄くなり、われわれ斉木の住人は脅威の対象となってしまいます。生まれ故郷・出身一族との絆が弱まった分、讒言勢力に絆《ほだ》されてしまうとは、実の兄として嘆かわしい限り。――これまでは畔に弓矢・太刀などの武具を置いて農作業をしてきましたが、長続とその取り巻き連中は、自らの権力を保つために、刃向う力を奪おうと郡内の村々から武具は取り上げてしまうのではなかとでしょうか。あわせて、上納分をきちんと把握するため、田畑も隅々まで測量されてしまいますぞ。聞こえの良かもっともらしか理由を声高に叫び出すでしょう。お前らは農作業に専念せよ。万が一敵が村に攻め寄せてきたとしても、儂らが命を賭して守ってやるぞ、と。それでは「自」衛ではなく「他」衛ばい。名主の名折れ千万。――自分の考えを持たず、なにかと群れたがる輩どもが、真っ先にてなずけられてしまう。これでは村への統制が強まるだけで、村の自治は奪われ、村人の自立・自律という昔からの誇りも奪われ、村人は幸せではなくなってしまう。この一方で、他律・依存の輩どもが増え続けるだけ。わが一族と同じく、相良氏入国以前から、家長、田堵、名主であってきた米冨一族の方々ならば、心底から分って頂ける信条だと思っております」

但馬守は米冨の者たちに同意を求めながら話を締めくくった。

米冨一族は昔から、館前の「辻郷の湧き水」を灌漑に用い、田畑を開墾してきた名主一族である。米冨名の西側一帯には永冨名と豊永名が広がっている。五日市のたつ若宮神社の脇には永冨庶子の館が構えられている。つまり永冨と米冨は名田が隣同士の名主仲間であった。米冨名の北方と西側一帯の田畑は、「豊永名」と呼ばれ、辻郷の湧き水から流れる「まんだら川」の水を利用して、名田経営が行われている。

米冨名の東側地域はかつて「常楽名」と呼ばれていた。米冨一族が乗船した常楽の渡し場名はその名残だ。常楽名主は人吉庄の開発根本領主のひとりであり、蓮華王院領人吉庄の管理者であった下司の荘官藤原友永人吉次郎一族とともに滅んだと伝えられている。滅ぼしたのは遠江国相良荘から下向してきた相良長頼一族だった。

長頼一族下向当初、米冨名主の者らは、公言はせずとも、すこしばかり貴種の新参のやつらが東国から下ってきた程度にしか評していなかった。長頼の父・頼景は流罪人として球磨郡の豪族の所領で預かりの身となっていたため、流罪人の息子一族と見下してさえいた。手放しに歓迎する気は微塵すらなかった。この態度は、古くからの在地小領主という自負、気骨と反骨心に因るものと言えた。いまでも、米冨一族の者たちは、決して相良一族に従属しているわけではなく、あくまで自分らは独立を保ち、相良一族とは協調の関係にある。このように意固地、頑迷な考えを持ち続けていた。もちろん現実はまったく違っていた。

相良長頼の時代に、相良一族と婚姻を結ぶ——長頼の子の一人を養子として迎え入れた——ことによって名主一族という旧勢力でありながらも滅亡を回避できていた。この養子縁組によって、相良家の庶子となり、譜代の門葉として命脈を保ってきたのが史実だった。

時代は下り、上相良一族を滅ぼした後も、上相良を倒すために合力し、勝敗を分けるような重要な働きをなしたにもかかわらず、相良長続の下した命により攻め滅ぼされた国人衆もいた。

人吉球磨盆地という器には、互いに夜討ち朝駆け、毒殺、厠や風呂場で板壁越しに槍で突き刺されるなどの手口で、いつなんどき寝首を掻かれるのではないかという疑心暗鬼が量《かさ》を急激に増していた。

「一滴も水が漏れださんほど、周りを幾重も山々に囲まれたこの狭か人吉球磨の盆地で、内訌が起こらねばよいのだが……、盆地が人の血で満たされてしまうようになってしまいますばい。赤く血に染まった稲穂が実っても誰も喰わぬ。――今のうちに長続との関係を修復しなければなりませぬ」

ふたり

「其前但馬内室は御連枝方にて一族の歴々譜代恩顧の輩多し、」
『南藤蔓綿録』はこう記す。

奥方は、お節介と言えるくらいに世話好きだ。とりわけ跡目が絶えないようにと気を配っている。子供がいない家ならば、相応しい養男と養女を見つけることに奔走してくれる。女子だけならば、養子縁組の仲を取り持つ。女子が年頃になると良縁を見つけてきた。いっぽう、娘であるあき姫は、この母親の性格を常々煩わしく感じているようである。

平生より但馬守頼重は、夫人まさの左頬から首筋に並ぶ三つの小さなほくろを愛でてきたが、今夜はより艶めかしく感じられていた。

夜討ちを警戒するため、城と館と麓の門では、寝ずの番を増やし、松明を焚き、警戒を強めていた。

「書き終えられるまで時間がかかるようですね。灯明皿の油もかなり少なっております。お足し致しましょうか」

「そうだな、頼むばい」

「この頃、ずっと思案なされておられるようですし、今夜は書状をずっとお書きです。まして右筆の者に代筆を頼まず、殿自ら書状を御書きになるのはきわめて重要なものなのでしょう。……左近将監様（相良長続）との御関係は芳しくないのでございましょうか」

「うむ。麓中では噂を通り越し、真《まこと》にすらなっておるからな」

「ええ……」

「きちんと話しておかねばならなぬ、な。今宵、此処へと夜襲があるかもしれぬ」

「御冗談を……」

「それはナカとは断言できぬ情勢であるのは間違いナカ。弟長続が人吉球磨の地を離れ、牛屎院の地に長陣している間は人吉球磨の状況を直接みることはできず、行き来する家臣たちからの伝聞に頼らざるを得ない。こうした状況につけ込み、我々永冨宗家が謀反を企てているので、こちらから先手を打つべき、と唆《そそのか》す不埒な取り巻きがいるようだ。島津、北薩の在地勢力および旧領主相良堯頼残党が結集し、背後の人吉から挟み撃ちにしようと我々永冨宗家が企んでいる、と浮言を吹き込む輩さえいることを耳にさえした。古《いにしえ》より、大将が本拠を留守にしている間に、何かと厄介なことが起こるのが世の常ばい。とりわけ、青とは名ばかり、実は血の色を好む「青沼」と名乗る一族が讒言の首謀者である。新興の小さか一族くせに、いつの間にか長続の心に入りこみ、側近となってしまっておる。小さな輩《やから》勢力だからこそ、兄弟げんかをさせて、永冨荘を簒奪し、勝利後自らの所領とする――漁夫の利ば得ようと画策しているわけたい。その策略に長続は嵌ってしまっておる。弟との間に確執などなかったばい……」

「なんとまあ汚き奴らでございましょうや。ただ、左近将監様は、殿と二つ違いの四十でございましょう。そもそも相当な御器量なくして、相良宗家惣領の地位に就くことはできません。重臣たちの操り人形の状態になってしまうような経験のない若い君主でもなければ、世情に疎く、放蕩三昧の暗君でもございません。自分の考えはきちんと持たれておられるお方のはずですが……」

「（相良）長頼公から連綿と続いてきた人吉相良宗家の家督を堯頼殿から――事実上――奪うことができたからこそ、誰かから奪われてしまうのではないか、と長続は疑心暗鬼になっているのは仕方がなかことである。輩どもは長続の心の内を見透かし、あることなかことを吹き込んでおるのであろう。長続は少し考えれば嘘と分かるような話も真実として受け取ってしまう深刻な状態に陥っているのかもしれん。兄弟間で、夫人の実家一族と姉妹の嫁ぎ先の重臣らが結託した夫《おっと》の家の乗っ取りといった騒動は数えきれないほど起こってきたのも事実たい。かといって、相良宗家の惣領を奪おうとする者が、この兄である永冨宗家の惣領の私とはな……笑止千万たい。長続とは腹違いの兄弟でもなかとだがのぉ――」

過日、長続の近習の一人が但馬守のもとを訪れていた。

「一人の才覚分別にて行動するのは大将として当然持つべき器量でございますが、聞く耳を持たぬとはまったく違うものでございます。殿の場合は青沼らの讒言には耳をお貸しになり、たちまち納得されてしまう腑抜けぶりでございます」と、目を真っ赤にして訴えた。

諫言は一番槍の手柄よりも尊し——この者こそ武士の鑑と言えた。

話に耳を傾けていた但馬守は、すぐさま兄として行動を起こさねばならない、と心を動かされた。

「私のほうから、梅、遅くても桜が咲く頃までには、それば愛でることを口実に人吉城へと参ろう」

いったんは、但馬守は長続の近習にそのように返答した。

だが最終的には、

「……それは叶わぬ状況といえる。多くの供回りでは、些細なことがきっかけで、人吉城の門前で、素膚での斬り合いとなってしまうかもしれぬ。軽き供回りでいけば、これ幸いと讒言の輩家臣どもが独断で先走り、本丸に登る途中で、儂らは斬り殺されてしまうやも。あるいは帰り際、常楽の渡しで、逃げ場のない球磨川を背後に襲撃を受けることも……。そのまま球磨川に流せばよいので、死骸を葬るには都合がよか場所たい。あるいは酒席で毒を盛られかねんばい。すすめられる酒を断るのは不信感や警戒感を増長させてしまう。酔いと闇夜に乗じて帰路を襲撃されるかもしれんばい。さすがに弓矢や槍を隠し持っては行けぬし、酩酊していては刀も抜く前に斬り殺されてしまう。……心配は尽きんばい」

このように結論を出した但馬守だったが、長続自らがよからぬことをなしてくるとは考えてはいなかった。だが取り巻き連中が起こす様々な不測の事態への不安を拭うことはできず、人吉城訪問は断念せざるを得なかった――。

但馬守は夫人まさに戦況の説明を始めた。

「武辺名高き兵が揃う永富宗家一族ではあるが、長続勢も無論、永富たい。戦となった場合、多勢に無勢とまでは言わぬが、相良宗家の惣領となった長続側に集結する者たちは、かなりの数になると思われる。士気はひくい烏合の衆かもしれんが、飢饉が続いている村々は少なくなかばい。そぎゃん村の者どもは戦が起こることを待ち望んどる。手柄を挙げ、勝利すると豊かな斉木の地が手に入るぞ――この誘いに応じた者どもが多数集まっておるごたる。そぎゃん意味では、輩どもの覇気はひじょうに高かといえる。申すまでもなく、長続は斉木の地ば知り尽くしておる。要塞堅固といえるこの城に立て籠もったとしても、まともにぶつかり合っては我ら一族の勝ち目は厳しいかもしれん……。だからこそ、戦が起こらぬように策を講じておかねばならんわけたい。この書状はその一つたい」

まさは核心といえる質問をなした。

「いかなる内容を、どなた様充てにしたためられているのでございますか」

「ひとつは、復権を狙う下相良勢力に書状を送ろうとしておる」

北薩牛屎院に暮らす相良堯頼を慕い続ける旧勢力や過日滅ぼされ同じく国境を越えて同所へと落

ち延びた矢黒城の桑原一族の残党に後詰の兵を要請する内容だった。

「それでは反対に、兄者である殿が弟の左近将監様様（相良長続）とその一族をつぶすことになりましょう」

「そのつもりは毛頭なか。そもそも、この兄弟反目の発端は汗水たらして田畑を開墾することなく、豊かな永富山田荘を横領したい輩一族どもの讒言にある。あわせて、薩摩牛屎院在陣中、讒言に気づくことなく、真実だと信じ込まされ、分別思慮を失くしている実弟長続自身こそが原因たい。北薩牛屎院にとどまる相良堯頼殿の旧勢力が叔父の島津忠国殿が惣領である「島津奥州家」や北薩国人衆とともに人吉球磨に攻め込んでくる、という噂が郡内に広まるだけでよか。それは牽制となり、長続側の矛先は収まるであろう。すくなくとも開戦の時期を先に延ばすことができるばい」

但馬守は自身の真の目論みについて夫人に打ち明けた。

「その間に、二人の御方に長続側との仲裁を頼むことにする」

「その方々とはどなたでございますか」

和睦の仲立ちと下相良勢力への連絡を依頼する二人とは、すでに家督は息子に譲り、一武城に隠居している米冨家の前当主頼照と一乗寺の大蟲和尚であった。

相良家十代前続の跡を継承した堯頼だったが、当時十一歳という幼君であったことにつけこまれた。上相良の頼観・頼仙兄弟率いる軍勢が人吉城を急襲した。堯頼はわずかな供周りと薩摩国菱刈へと落ち延びた。その際、大蟲は堯頼につき従い、当地で堯頼主従とともに暮らしていた。

人吉城が落ちた直後、当城から上相良勢を追い出し、入城したのが永冨長続だった。さらに、人吉城奪還から三か月後の八月、永冨長続は上相良の頼観・頼仙を多良木鍋城で滅ぼした「久米雀ヶ森の戦い」。これを境に、相良頼景、長頼親子が球磨多良木と人吉庄に入国以来続いていた相良の正統は絶え、堯頼から永冨家長続へと下相良家の家督は替わった。上相良家を滅ぼしたことで、（永冨）長続が人吉球磨を統治する相良宗家の家督者の地位に就いた。

「一武城主のお方（米冨頼照）は、中田城主頼藤殿の実のお父上とお聞きしておりますが」

「うむ。長続の奥方の母親である繁《しげ》殿は、漆田の中田城主頼藤の妹、つまり（米冨）頼照殿の娘にあたるばい」

「これは心強い。仲裁役に相応しいお方でございます」

「いまから申すことは他言無用ぞ——。長続は（下相良家惣領）堯頼殿のもとへと使者を送った。上相良滅亡の知らせとともに相良家惣領としての復権要請を伝えるためだった。堯頼殿は長続の使者と面会した後、菱刈の地から人吉に近い牛屎院へと居を移した。だが人吉城への帰城が間近に迫るなか、牛屎院小木原で牛と遊んでいた際、太ももを角に突かれて亡くなり、菱刈小苗代の永福寺に葬られたとされている。しかし、それは表向きのことであり、事実は異なる。——堯頼殿は長続の刺客によって殺害されたのが真相たい。その刺客も口封じのために小木原で殺されてしまった。つまり、刺客の刺客が送られておったわけたい。——帯同していた大蟲和尚は堯頼殿の最期には立ち会っていなかった。見届けていたならば、その場でいっしょに殺害されていたであろう。大蟲和尚は堯頼殿の腹部を確認されたばってん、牛の角とは明らかに異なる刀創だった。それゆえ、当時自分も人吉に戻ることは叶わず、牛屎院の土になる覚悟をしていた、と打ち明けられたことがあったとたい」

但馬守は、隣国の事であり、誼を通じていたわけでもなかったため、堯頼恩顧の牛屎院残党勢力が自分ら（永富宗家）あるいは長続、どちらにつくかは測りかねる状況だった。また、主君亡き後、住み慣れた一所懸命の地を追われ、臨終地となった牛屎院へと遁れた堯頼恩顧の残存勢力が我々永冨宗家のことを味方に思うか、あくまで長続を生んだ宗家勢力と見るか、但馬守といえどもその判断はつきかねていた。当勢力が永冨宗家の味方となるか否かは書状しだいと言えた。だからこそ、何があろうとも書状を牛屎院へと届けなければならなかった。牛屎院の領主牛屎氏は書状を読み、我々に合力はしなくても、人吉球磨の内乱に乗じて久七峠を越えてくる島津や北薩の豪族勢力の侵攻を押さえてくれるはずだ、と但馬守は期待していた。

妻まさは、自分の考えを語り始めた。

「勢力を回復したい下相良旧勢力と相良の内乱に乗じ、人吉球磨を奪いたい島津勢が合力して、峠を越え、大塚、木地屋、古仏頂、蓑野、間村と人吉庄へなだれ込んで来たら、面倒なことになります。人吉球磨の情勢を聞きつけた日向真幸院の勢力も加久藤方面から押し入って来るでしょう。乱暴狼藉の限りをし尽くし、人吉球磨では殺戮が繰り広げられてしまうのは明らかでございます。島津はひじょうに大きな勢力と聞いております。人吉球磨盆地で周辺勢力の利害が一致してしまいます。平素、四方を山に囲まれた盆地は天然の要害ですが、負けてしまったならば逃げ道がないことを意味しております。人吉球磨の者同士ならば、無慈悲なことはしないでしょうが、他国の者が参戦し、負けた側の人間がかような畜生どもに生け捕りにされたならば、逃げぬようにと女子供までが手の平に紐を通され、人取り商人を通じて、薩摩の港へと連れて行かれ、大海のはるか彼方へと奴隷として売り飛ばされてしまいます。田畠は荒され、収穫物や牛馬だけではなく、人でさえも略奪されてしまう地獄絵図が現実となってしまいます」

但馬守と夫人まさは互いに、あきとしず、荘内に暮らす女性たちの姿を脳裏に浮かべていることが読み取れていた。

「長続は本陣に詰めているであろうから、最前線の兵どもは、乱暴狼藉をやらかすにちがいなか。亡骸は葬られることもなく、野ざらしにされ、生き延びた者も、その場で処刑されず、わざわざ見せしめに磔にされる。やがて烏が白い腸を引きずりだし、啄み続ける。息絶えていく様は格好の見世物にされるのであろう」

「そぎゃん惨か事態ば避けるためにも、貴方様は書状をしたためられていらっしゃるわけですね」

「そんとおりたい」

隣国薩摩北部も人吉球磨と似た状況といえた。

長続は隣国島津の内訌に乗じ、所領拡大を図ろうと、北薩牛屎院まで自ら出陣していた。お互い様といえた。

薩摩の雄、島津氏といえども、不穏な情勢のなか、一族の中心の者らが人吉球磨に出陣すれば、その留守を狙われ自領と居城が奪われかねなかった。戦に勝ったとしても、皆疲れ果て、気も抜け、隙だらけの帰陣途中、敵対勢力からの急襲を受ける怖れがあった。とりわけ菱刈、牛屎氏などの国人領主が群雄割拠していた北薩の情勢は混とんとしていた。

島津氏は、「奥州家」「豊州家」「薩州家」三勢力がけん制し合っていた。「豊州家」と「薩州家」は長続側だった。だから堯頼は豊州家、薩州家と反目しあっていた「奥州家」寄りの菱刈氏を頼り、落ち延びた。その後、菱刈氏は奥州家から薩州家支援へと転じていた。その結果として、永富長続および菱刈氏の刺客が北隣の牛屎院へと潜入し、牛の世話をしていた堯頼を殺害した。

但馬守は、島津三家の動向について次のように分析していた。

十中八九、島津豊州家と薩州家は人吉球磨へと攻め入っては来ない。しかし断言まではできない。永富宗家の味方になってくれるであろう勢力は、堯頼恩顧の牛屎院残存勢力と島津奥州家であった。なお、薩州家を基点に菱刈と島津豊州家が合力し長続の加勢として斉木の地に攻め寄せて来る可能性を捨てきれてはいなかった。

「堯頼恩顧の旧主勢力は、長続勢が主君堯頼落去の原因をつくった上相良家を滅ぼした点は評価していても、相良家の家督を簒奪されてしまった、と腹立たしく感じている。では、永冨宗家と長続を区別し、敵（長続）の敵（永富宗家）は味方であると考え直し、遺恨も忘れ、我々に加勢することを決断してくれるであろうか……。犠牲者が数多く出ることを願いながら兄弟同士の戦が長期化することを望みながら様子見に徹するかもしれぬ。その後、おっとり刀で、双方弱り切ったところを攻めてくるのではなかろうか……。人の悪口や不幸話といった風聞は、隣村はもちろん、他国にさえ、驚くほどの速さで伝わってしまうものたい。久米雀ヶ森の戦で滅んだ上相良一族のことだが、討死した頼観の子鬼太郎は周防の大内氏へと奔《はし》り、身を寄せている、と伝え聞く。これと同じで、われら永冨兄弟間の争いに関しても、領地拡大の好機として、薩摩などの隣国に詳細がすでに伝わっているのは間違いなかばい」

但馬守は奥方との会話が続いてしまい、肝心の書状の作成が進まなくなっていた。

「讒言か……」

「もしかすっと、あれが（相良）長頼公の墓前と当（永冨）家累代墓に参る最後だったかもしれぬ。万が一、斉木の館と城が落ちた際は、お主は次郎丸、あき、しずたちとともに搦め手の抜け道から城を下り、実家の上村家へと向かえ」

但馬守はつぶやくように言うと、まさから視線を逸らした。

まさには、いまの言葉が主人の本心から出たものなのかどうか判断はつきかねた。ただ、戦はまだ起こったわけではない。それを回避しようと夫である頼重は書状を書いているわけである。ただ、夫はこれまで弱音を吐いたことはなかったので、妻のまさは落城後の子細について夫が語ったことを意外に感じ、それが現実になってしまうのではないかと不安に襲われた。

「球磨川を下るならばいざ知らず、上村の地へと川を遡る、あるいは易々と道を歩いていくことができますでしょうか――」


讒言衆青沼一族の屋敷では、長が配下の者たちに檄を飛ばしていた。

「田植えが始まってしまうと皆は忙しくなってしまい、徴兵に応じる者は少のうなる。それでは戦はできんごとなり、農閑期となる収穫後まで待たねばならんごつなってしまう。長続に対して、これまで以上に大げさに讒言をなして、戦ば急がせるように仕向けよ」

長続本人には、青沼の屋敷で、敬称さえ付けることなく呼び捨てにされていることはもちろん、兄弟間の戦を仕向ける謀議が頻繁に開かれているなど知る由もなかった。

「いまから我々の評判を良くしておかねばならん。戦の報償として田畑は増えても、百姓のことはいっちょん考えてはくれん領主様では、猛反発を喰らってしまうばい。せっかく奪った土地も、奴らを手なずけるより前に、他の勢力に再び奪われてしまうことになる。上にも下にも媚びへつらい苦労が絶えぬが、もう少しの我慢たい。抜かりのなか準備こそ肝要ばい」


翌早朝、但馬守は家臣二人を急使に任じ、一武城の米冨頼照、一乗寺大蟲和尚および堯頼恩顧の残存勢力が臥薪嘗胆の思いでとどまっている牛屎院とその地の領主牛屎家当主――三所四名、計四通の書状を届けること命じた。

斉木村の外れの里山の茂みから、斉木地頭館とその周辺の様子を見張り続ける二人の男がいた。

「あの二人は密書を携えた急使ばい」

「どちらに向かうのやら……」

「一人は一武の米富頼照殿の館のごたる」

「もう一人の行先は……」

「うーん、分からんばい」

見張りの男はこう言い残し急使を追跡しはじめた。

もう一人は「やれやれ……、俺は数日は戻ってこられんごたるな」と欠伸混じりに話し、立ち上がった。西のほうへと歩き始めた急使を追うことにした。

村人

永冨山田荘の住人は、自立・独立、自律、個の価値観を誇りに思い、他律、依存、同調、自分の考えも持たず群れでしか行動しない者を蔑《さげす》む。また命令することも命令されることも嫌う。

個としては、親や兄弟、姪甥を愛する真っ当な人間でも、集団、群れとなってしまえば、輩の類になり下がり、狂った判断をしてしまう。正しくないことは分かっていても、間違っているとは口に出せなくなってしまうものだ。

大きく長い者には刃向わず、巻かれろなど風上にもおけぬ。小さいながらも独立した城館の主であることを良しとする。戦では、館を拠点に「個」で戦う。自力救済を尊ぶ。「塊」や「群」は良しとしない。


斉木一族は永冨山田荘という地域性、地縁よりも、田畑、館・屋敷を基本とした結びつきのほうがが強い。共同で行っていることと言えは、木戸や城門の門番、灌漑用水の番、入会地である里山の管理、村祭りの準備が挙げられるくらいだ。

長い間、村内では戦乱は起らず、昔から飢饉や流行り病もほとんどなく、稲も良く実り、上質の麻草が育つ、豊かな土地のため、館・屋敷単位での独立自営だ。各館の長を筆頭に血縁的主従関係は存在するが、作人はいない。自分たちで田畑は耕す。ほかの村村々のように誰かに隷属し、働き続け続けなくとも、開墾すべき田畑があるため、否が応でも独立していかねばならない。それが嫌ならば、縄張りを確保できない猫のように死ぬか、別の村へと移り住むほかはない。

斉木の村人は、他村の者たちから「なしゅ、村内で争いもめったになく、豊かなのか」と尋ねられることがあった。

「村人一人一人が実直で、他人に対し寛容だからたい」

斉木の村人のひとりはこう回答していた。

もちろん、万事相手を信じて、実直さや正直さでは生きていけない――現実である。市《いち》に行くと、毎回購入する食べ物などは相場を皆知っているので、そういうことはないが、たまにしか購入しない品物については、相場の十倍で吹っかけてくるような地の者ではない、各地を行脚する悪徳の売り手も少なからずいる。

ただ実直さを担保しているのは、斉木の地の豊かさであるとは断言できる。斉木の地では万事正直さが通用してきた。斉木の者にも、律儀、寛容さと豊かさ、どちらが先なのかは分からない。しかし荷車の車輪のように、片方だけでは上手くいくことはないのは確かだ。

斉木の住人は、自領が豊かだとは決して申さない。そういった自惚れを意識するようになったら、斉木の地は衰微してしまうと考えている。盛者必衰。平氏一族が最たる例だ。

但馬守を筆頭に永冨山田荘斉木村に暮らす者たちは、名も実もあるからこそ、自らを律した生活をしている。惣領但馬守自身も日頃から自らを戒めている。自身が暮らす地頭館よりも、村人たちの館の手入れや屋敷の修理のことを優先させてきた。

「自らばかりが富んでいると思われてしまうと村人の心は離れていってしまう。一旦離れてしまうと村人の心をつかみ直すのは難しか。やがて永冨宗家が自滅してしまう」

斉木村の住人が他村の者から聞いた話だ。市《いち》で、その村人が但馬守と道ですれ違った際、但馬守が着ていた麻の袴の膝部と羽織の肩部にそれぞれ大きな継ぎ当てがしてあり、驚いたとのことだった。

「器量という中身が備わっている御方は着飾らなくても、こざっぱりとしていれば十分威厳が備わっとるばい」

「そのとおりたい。反対に中身がなかけん着飾り、大口をたたくわけたい」

永冨但馬守頼重と村人との関係は、主従、君臣の関係というより、「結集」と言い表すのが相応しい。書状への署名花押も並び順が生じないように丸い円に沿って、但馬守と名主が署名し、花押を据えていく方法が採られている。

斉木の村には掟がほとんどない。実直な「個」を持った者が暮らしているからこそ可能と言える。自分の外からの強制力である掟の類ではなく、自分自身の内側から倫理・道徳の観点から自らを律し、他者については寛容に接することを貴んでいる。この自律、寛容精神を小さいころから、得意分野を学んでい行く過程で培っている。村掟のような破った者に対しては重罰を科すなどの条が数多く設けられてしまうと、相手への寛容や信頼がなくなってしまう。これで実直方正な心が育つわけがない。村人の心のうちに生まれてしまった不和、不信の感情は簡単に摘み取ることはできない。

永冨山田荘の住人は独立心が強い。家族と暮らす館と自分の名のついた田畑——名田《みょうでん》こそが我が城だ。自分の名のついた水田を持ったときから、乙名に成る。先祖から受け継いだ稲田を、子そして孫に伝えていく。これが長《おさ》の責務だ。ただ人間には寿命がある。器として「家」が創り出された。

この「家」を通して、田畑や館――生きていくうえで不可欠なものを次の代に継承していくわけだ。

かつて人間は神の代理人である「卑弥呼」のような呪術師に依存・信心し、自律ではなく他律の生活を送っていた。この状況を打破しようと農耕（米作り）と灌漑技術という専門得意分野を武器に血縁集団から飛び出し、「個」で田畑を開墾し、「家」を興し、新しい集落を創り、それらに自分自身の「名」を付けて、自立・自律していった者がいた。平安中期頃から、長として選ばれた「有力農民」を「名主」と呼ぶようになった。時代は下り、集落より広い村落に暮らす在地小領主として登場したのが「武士」である。

風聞

「斯て其比長続公薩州牛屎院御在陣の御留守を伺ひ逆心の企有之由　縁者の何某是を風聞密に彼宅に行異見様々申尽候得共、曾て御承引無之故何某事も是非に及ばず言葉言争にて座敷を立罷り候、」

『南藤蔓綿録』は、こう記す。

（注）「牛屎院」は、鹿児島県伊佐市大口地域の大部分に比定されている。

（注）斉木一族縁者名は記されていない一方で、別の箇所に、使者名は記されている。

数日前から、平和な村が戦時のそれへと急変することを暗示させる出来事が重なって起こっていた。

カマノクドの巨石の一つがぱっくりと割れ、裂け目から紅血の液体が流れ出していた。

「稀代、否、言い伝えすら聞いたことはなか」と古老は話し、「奇瑞ならばよいのじゃが……」と村人は語り合っていた。

麓の辻にある庚申塔の一つが割れているのも見つかった。

「災難からこの村を護る神を祀っているのに……なんて縁起が悪かことか」

村人は動揺していた。なぜなら、永富長続が上相良一族を倒し、相良宗家の惣領となって以降、球磨人吉郡内の国人勢力を次々と滅ぼしていたからだった。


二年前の宝徳元年（一四四九）八月、西浦の地頭で矢黒城主だった桑原隠岐守一族は――その前年文安五年の上相良頼観・頼仙造反時、味方したという理由で――長続軍により城を攻められ滅びた。「城戸ノ尾合戦」と呼ぶ。

変節は当たり前の時代だったとはいえ、桑原隠岐守は温和で、礼譲と文武を兼ね備え、器量才覚勝れたる大将と評判だった。桑原一族は人吉庄の西南の地を本貫としていたにもかかわらず、当庄東方にあたる球磨郡多良木を本拠としていた上相良に味方をするとは誰も予想していなかった。長続は挟撃されることを憂慮していた。

その後、長続自ら軍勢を率い薩摩国牛屎院に出陣し、滞陣が続いていた。人吉球磨郡内ではますます流言飛語が飛び交うようになった。

「永冨宗家が堯頼旧勢力、滅ぼされた国人残党とともに左近将監（長続）様に対して謀反を起こそうとしとる」

「左近将監様は、兄上に先んじて永冨宗家ば急襲しょうと支度を急いどる」

嘘も繰り返せば真《まこと》を生む。

案じた米冨家六代当主美作守頼幸が但馬守に会うため斉木地頭館を訪れた。

「泉田の米冨館も見張られているごたる。今日、儂が斉木館を訪れておることも左近将監殿の取り巻き連中に筒抜けにちがいなかばい。青沼なる一族が左近将監殿へ讒言をなしておる一方で、真っ当な進言、諫言をしている譜代の家臣たちは厄介者にされ、あからさまに遠ざけられておる。現在、左近将監殿は不在のなか、青沼の者どもがますます幅を利かせとる。拙《まず》かばい」米冨頼幸は但馬守に自分が知っている情勢を伝えた。

但馬守は、自身が把握していた状況より深刻な事態となっていることを知った。

「弟である長続と私との間で戦が生じた場合、米冨殿はどちらにお味方されるつもりか」

但馬守は米冨頼幸に単刀直入に質問した。

「どちらにも味方は致さぬ。川に浮かべた笹の小舟のごとく流れに身を任せ、静観する」

頼幸は即答した。

米冨頼幸の弟は永冨家に養子に入った漆田中田城主永冨出雲守頼藤であり、永冨宗家側といえる。しかし米冨頼幸の妹であり、犬童家に嫁いだ繁《しげ》の娘は長続の妻である。為続という外孫も成長している。これらの縁戚関係を理由に米冨一族が静観することは、但馬守も予想していた至極当然の態度といえた。

但馬守はいったん話題を変えることにした。

「懐かしかぁ……、笹の葉から舟を作り、辻郷の湧水に浮かべて遊んだばい」

その後、一族内での戦を回避する策について考えを述べ合ったが、結局妙案は出なかった。

弟長続は故郷であり実兄が暮らす斉木の地を訪れようともしなかった。書状一通すら送ってこなかった。にもかかわらず、この間、米冨家には数度書状を送っていた——この事実を知った但馬守は憤慨した。

終いには、両者で言い争いとなった。但馬守は書院から出ていってしまい、残された米冨も「仕方がなか……」と但馬守家臣に言い残し、館を後にした。弟頼藤が城主を務める漆田中田城に立ち寄ることなく、泉田の館へと帰った。

数日後、客を座敷に残したままで、主《あるじ》が奥へと引っ込んでしまった非礼を詫びる但馬守の書状が米冨館に届いた。

「左近将監様との間に戦が起こらず、武具の手入れで済めばよかばってん……」

鳩胸川で、斉木の住人のひとりが独り言ちながら戦支度をしていた。

鎧の札《さね》の一枚ずつ、それらを結びつけている紐に欠損や綻びがないかを細かく点検する。この確認は戦さの後と農閑期に必ず行われてきた。血痕の青拭や土砂をふき取ることも念入りになされていたのだが、男が具足を箱から取り出すと、血のような跡が浮き出ていた。戦が終わると、敵味方の血しぶき浴びた甲冑を鳩胸川で洗い、川岸で乾かすのが習慣だ。甲冑を水に浸し何度か擦るとへばり付いていた血で川の水は薄赤く染まる。戦いの最中は気にもならなかったことが、戦いを終え、平静を取り戻すと、異様な光景に感じられる。

川の流れで、赤い水もすぐに無色透明な水へと戻る。

こうして鳩胸川で具足を洗うことができているのは、勝ち戦だったからにほかならない。負けてしまえば叶わぬことだ、と男は感じていた。

「たまたま勝つことができただけばい。次の戦はどうなるか分からぬ。戦さそのものは勝ったとしても、己の命があるとは限らんたい」

この村人は、鎧をふき取ったあとの雑巾に小さな欠片が絡まっているのを見つけた。不思議に思い凝視した。その途端、その欠片は市中に沈んでしまった。すると魚が寄って来て啄《ついば》んだ。

「……討ち取った敵の肉片だったのか」

迫りくる実戦の恐怖がこの村人の脳裏に蘇った。

使者

「長続公御帰陣の後、此事密に聞召及ばれ広田弾正、蓑田何某両使を以て逆心の意趣御尋ねありければ、過重の返答に及び候故、扨は逆心疑なく急度御誅伐有るべしとて御機嫌太く宜しからず、依て原口藤兵衛尉、永井弥太郎御使者と為て己に切腹仰付られ候処、」

『南藤蔓綿録』はこう記す。

「今回の使者は見かけた顔か」

「いいえ、両人とも……」

「讒言の輩どもには変わりはなかが、先日の二人とも違う者というわけか」

館に相良宗家からの使者が参ったという知らせが書院に居た但馬守に伝えられた。

「広間に通せ。われらは相良宗家から遣わされた使者なるゆえ上座につく、などと戯けたことを口にしたならば、願い通り上座へと恭しく導いてやれ。着座するや否や、顔の左から右頰へと真一文字に斬り捨てよ」

「御意に」

「我ら永冨宗家は相良宗家に対して逆心の企てもなければ、非も一切なか」

「無論」

「身なりを整え直し、すぐに広間へと参る」

但馬守の言葉を聞いた近臣は広間へと戻ることにした。念のため廊下で一度立ち止まり、脇差の鍔を左親指でゆっくりと押し出し、右手で静かに抜いた。刀身から切っ先まで問題がないかを検分した。

但馬守は広間から使者との間に悶着が生じていることを示す物音が急に聞こえてくることを気にしながら書院から広間へと続く廊下を歩いていた。

使者二人は下座につき、両者庭を眺めていた。

「前回、相良宗家に対する謀反の疑いありや否や、と問い質しに参られた広田弾正、蓑田何某《なにがし》とは違うお顔たい。しかも、今回の使者も初めてお目にかかるお二方のようで……」但馬守は着座するや否や話を切り出した。

この但馬守頼重からの早々の問いかけに対して、二人の使者は、目を見開き、原口藤兵衛尉、永井弥太郎と即座に続けて名乗った。二人は座敷に居る永冨惣領家の面々をゆっくりと見まわした後、但馬守の顔を再び見据えた。

「前回、儂はこの座敷で、永冨惣領家に謀反の企てはなく、反対に藤原南家という名門を出自とする相良宗家の惣領の座に就くことができた弟のことを誇りに思っておる、と前回の使者にお伝え申し上げたはずじゃが……」

こう述べた但馬守頼重の顔を家臣たちは頷きながら見ていた。

「うーむ、そもそも弟長続は、生まれた地にもかかわらず、なしゅ自らが実の兄に会いに来んとかのぉ。まさか城主でありながら、人吉城の土牢に押し込められているのではあるまいな」

但馬守は高笑いをした。座敷に居るほかの者たちも笑みを浮かべた。使者の二人は表情一つ変えず、但馬守の顔を睨みつけていた。

沈黙が続いた。

但馬守が左腕を床几に置き、じわりと身体を左に傾けながら、右手で持った閉じたままの扇子で右太ももをポンと叩いた。使者の一人が脚にしびれを感じたらしく足先を組み替えた。衣擦れの音がした。

もうひとりの使者が左手を口元にもっていき、咳払いをした。この使者は、すぐ前に置かれていた漆塗りの細長い書状入れの下の端を左手で押さえながら、右手でその紐を解き、蓋を開けた。書状が納められているのが但馬守からも確認できた。使者は書状を仰々しく取り出した。しかし読み上げるそぶりはみせなかった。使者は、庭を背にして一番近くに座っていた但馬守の近習の顔を一瞥した。この近習は一度但馬守頼重のほうを向いた。但馬守が頷いたのを確認すると、近臣は立ち上がり、使者のいるところまで移動した。使者から書状を受け取り、それを上座にいる但馬守に手渡した。

読み始めた途端、但馬守の手の甲から二の腕にかけての部位が震えだした。その震えは書状を波打たせていた。

「弟が兄に対して切腹を命ずるなど言語道断ぞ」

但馬守は使者を大喝した。

憤怒とともに書状を一気に丸めた但馬守は、それを使者二人がすわる下座めがけて投げつけた。

「相良家の惣領の座についた弟に対し、誇りに思うことはあっても、薩摩牛屎院在陣の留守を狙い、逆心の企てを起こすなど夢でさえ見たことはなか。戦ば起こして、永富宗家や斉木、七地、漆田、そして斉木奥水無に暮らす者に何の利益が有っとか。我々が兄弟げんかをして得するのは新参者のお前らのような者ではないか。貴様らが説明してみろ。この戯けが！　万が一、戦を起こす場合には、こそこそとした謀《はかりごと》ではなく、正々堂々と始める。七地から球磨川を渡り、人吉城の大手口で単身名乗りを挙げてやったい」

使者は、但馬守の怒りがおさまらない様子をしれっとした表情で聞いていた。

再び沈黙が続いた。

「直情径行な自分と違い、弟長続は感情を表に出さぬと言われてきたが、陪臣までも、似ておるものだな」

一転して、但馬守は使者を見据えながら静かに述べた。直後、使者の一人がほくそ笑む表情をなしたように受け取れた。

「此処は貴様らの主君が生まれ育った館たい。お主らはそれを忘れておるようだな」

但馬守は吐き捨てた。

呼吸を整えた後、但馬守は後ろに置かれていた太刀をとるや、板の間を滑るかのように使者の一人の面前へと瞬時で移動した。いや、使者二人や家臣らが気づいた時には、すでに移動していた、というのが正確だった。但馬守の太刀が庭から差し込む日差しに煌めいた瞬間、反撃させる透間もなく、刃は使者の顔面を額の右上から口の左下へと切り裂いていた。

この間、但馬守以外の者たちの時《とき》は止まっていたかのようだった。

広間の板戸の裏で、警固のため控えていた近習二人もこの鈍い音に気づいた。すぐさま太刀を抜き下段に構えながら、座敷の後方からもうひとりの使者に対して間合を詰めていた。この者は太刀が預けてある遠侍へと逃げることもできず、鴨井の上にかけてある槍に手を延ばすこともできず、廊下へと追い詰められていった。背後は庭、廊下の両側から、太刀を抜いた但馬守の家臣がにじり寄ってきていた。逃げ場のなくなった使者は、脇差を抜きながら、館の外に待機している仲間に危急を知らせようと「出あえ、出あえ」と叫んだ。すぐに館内の異変に気づいた使者の同輩と門番が怒鳴り合う声が座敷で刀を構える者らの耳に飛び込んできた。

「わしのことは構うな。お主らはこん事態ば伝えに人吉城へと急ぎ帰れ」

使者が叫んだ直後、馬が走り去っていく音が広間に聞こえた。

単身、脇差のみで、敵方の館の広間にて取り囲まれた使者は、広間から唯一の逃げ道である庭へと降りようと太刀を構える但馬守たちの動きに神経を集中させていた。床の高さを確認するため後ろを振り向いた。使者の視線が途中で止まった。

柱に何本も刀で刻まれた線と小さな文字。

使者はこれらに一瞬気をとられた。そのまま足先を動かしたため、即死した同輩の破れた顔面からから噴き出た大量の血液に足を取られてしまった。その隙を但馬守の近習は見逃すことなく、太刀を浴びせた。使者は一太刀目を脇差で受けとめることはできた。

「こん広間の柱に刻まれた何本もの刀創は、永冨一族の古さの証たい。お主らのような新興の家にはなか珍しかものたい。村の子供たちの成長を祝った後、子供たちの背の高さを刻むのが斉木の習わしたい」

但馬守の近習が、眼前で互いの刀の刃が交差している状態で、使者に向かって言葉を吐いた。

「あっ」

と、使者が言い終わらぬうちに、右腕から血しぶきが上がった。この近習がわずかな動作で斬りつけた二度目の太刀を使者は受け止めることはできなかった。使者の右腕が肩先から脇差を握りしめたままの状態で廊下の床板に落ち、跳ね上がった。そのまま庭に転がり落ちた。殊勝にも、この使者は廊下に落ちている自分の右手が握る脇差を拾おうと、庭先から左手を延ばした。但馬守の家臣らは止めを刺そうと次々に庭へと飛び降り、太刀を上段に構えた。

広間から但馬守の声が飛んだ。

「皆の者、待て。永冨宗家逆心ありと讒言した勢力の者とはいえ、お主は真にあっぱれな忠義の士といえる。己の命ではなく、人吉の城への伝令を優先させた。人吉の城に帰りつく前に血はすべて失われてしまう。運よく帰り着き、命は助かったとしても、死んだ者とは違い深手を負った者については介抱する人手が必要となる。その分軍勢が減って、こちらにとってはありがたかこと。わざと帰らせてやれ。お主の最期の手柄とせよ。吾らの兵法の見事さとともに、この館で起こった一部始終を語るがよか。大げさに、な」

この主君但馬守の話を聞き、家臣たちは上段に構えていた太刀を下ろした。右腕と共に脇差を使者に返すと館門まで急き立てていった。

門番は使者を見送る際、憤慨や憐憫の表情ではなく、ほくそ笑んでいた。

「おう。殿は貴様をそのまま帰せ、とおっしゃったが、こんまま人吉城へ帰られるとは思わんほうがよか。館で騒動があったことはすでに麓に伝わっておる。村人に見つかれば、貴様は生きたまま斉木麓の西の城戸に磔に処されるたい。カラスが貴様の腹ば食い破り、内臓を引きずりだし、眼球を突かれながら死にゆくのは嫌なもんだな」

但馬守は、人吉城が在る、日の傾きつつある西の空に向かって言い放った。

「義絶たい。これで弟との戦は決まった。者ども戦の支度たい。永冨本宗家の意地を見せつけてやるばい」

犬猫がなす悪さと言えば、花瓶などの物を倒すくらいだ。収穫物や田畑を奪いに攻め入ってはこない。それを行うのは畜生ではなく人間だ。化け猫は別として、鋭く内側に伸びた前歯で、寝首を掻かれた人間がいたと聞いたこともない。

ご飯をくれ、と首や顔をザラザラした舌で舐められ、眠りから起こされることはある。引っ掻かれる、吠えられ続けたために叱ったことはある。しかし、犬猫に対して恨みを抱いたことはない。また河川、草木、岩石、山々、空、太陽などと喧嘩したこともない。豊かな斉木の村で暮らしてきたため、水害で河川沿いの田畑がすべて駄目になったことや反対に、日照りが続き作物が育たず、飢饉に見舞われた経験が――幸いにして――ない斉木の村人たちは、河川、草木、岩石、山々、空、太陽などを恨んだことはなかった。

腹立たしさ、怒り、憤り、不幸、恨み、争いなどは、なぜ起こるのであろうか。それらを引き起こす原因は何だろうか。

両親が生きていた若い頃は、現在のように感じることはなった。その頃は父と母が盾となってくれていたのであろう。

長となってから以後、そして現在は――

一瞬ではなく、その後も、ふと思い起こしてしまう怒り、憤りを生み出す原因は「人間」であり、唯一の存在であると断言できるようになった。

犬猫なども狭い所に集まれば、あるいは餌がない状態で縄張りが重なっていれば喧嘩が頻発してしまうものだ。斉木の村では、単独行動を好む野を良しとする猫たちが仲良く暮らしているのは、村が豊かで村人が餌をあげる余裕があるからだ。餌に困らないから縄張り争いもしないのだろう。

農耕も始まっていないはるかな昔、人間は一所に居を構えることもなく、現在の様な集落もなく、小さな集団で生活していた。野山や河川沿いを移動していた。動物や魚、キノコやドングリを採集し、洞穴、岩陰で眠っていた。

人間も少なく、毎日必要な水が湧く谷や滝についても争奪の地ではなく、特定の人間が自分たちのものだと主張する必要もなかった。そのような地は雨ごいといった祭礼が行われる聖なる領域だった。水飲み場を巡って対立・争いは起こらず、物資交換や婚姻につながる交流の場であった。争いが生じれば、それを避けて人間は別所へと移動した。

稲作農耕、定住、富の蓄積――生活が安定し、人間も増えていった。その反面、収穫物を貯蔵することにより持てる者と持たざる者を生み出した。貧富の格差は富の蓄積を狙って無数の争いを起こしてきた。それが人間の歴史だ。収穫される直前の稲、貯蔵されているコメなどの食物、次の年も実りをもたらしてくれる田畑、そのためには欠かせない灌漑の源である河川や湧水地。それらを横領するために群れとなった不埒者が攻め寄せてくる。

田畑、倉庫、城館、土地、田畑、泉、そして河川――いずれも動かすことも隠すこともできない。コメなども収穫時期になるまでは、田畑から刈り取るわけにはいかない。刈り取った収穫物は懐や土中深く隠しておくこともできない。

人間は動くことができる。不埒千万の悪行を為す略奪者が存在してきたわけだ。自分たちはその力がない場合には権力をもった者に讒言など行ってきた。まさに青沼の輩どもだ。

つまり、農耕は人間に、豊かな、穏やかな暮らしをもたらしたと同時に、厳しい戦いをもたらした。すべてが首尾よくいくことはない。成功の陰にはどうしても犠牲が伴う。これまで犠牲になった者たちは無数にいたが、死人に口なし。家族、一族、一門は根絶やしにされ、集落、村全体が焼き払われたならば、一族の事績を書き記した史料も口承も後世に伝わらない。

はるか昔、土地や水を独り占めしようとする人間という生き物の絶対数が少なかった頃は、争いもなく、田畑や収穫物を守る必要もなかった。収穫物を自衛することに関心を払うよりも、収穫物を贈った。その礼として相手は自分たちの土地にしかない産物を贈り返した。贈った側も与えられた側もお互いに喜びを感じた。

現在は田畑に限らず、魚が採れる海・湖・川や山林など収穫が生まれる所には、兵士が必要になってしまった。お互いに怪しみ、争いが起こるだけで良いことはない。自衛するための武器を作るよりも、猫のように寝ていた方が楽しい。武具を手入れする時間があるならば、農具や水車などの手入れに精を出したほうがよい。しかし猫のように一所で気持ちよく寝ていても、他の猫やカラスなどが縄張り荒らしにやって来ることがある。もちろんほっといても、問題は起こらず、しばらくすると出て行ってくれるであろう。普段は自分の縄張りの外には絶対出ない雄猫だが、雌猫を探すためには縄張りの外へと出かけていく。そして他の雄猫との間に喧嘩が起こる。

犬猫兎は、厠や湯殿寝所など無防備な所を襲う、毒を盛る、敵方との内通、裏切り、騙し討ちは絶対にしない。人間は犬猫兎などの畜生と違い知恵がある。だからもっとも怖ろしい生き物といえる。善く、ではなく、悪く知恵を使って侵略してくる。平気で手塩にかけて育ててきた収穫物や住み慣れた土地を奪い取る。しかも、悪知恵を持つ首謀者にそそのかされた、自分の考えをもってない寄せ集められた木端輩どもが群れになって襲い掛かってくる。犬猫兎などを畜生と呼ぶが、自分の考えを持っていない他人に迷惑をかける人間こそ畜生以下の人皮畜生といえる。もちろん斉木の地は豊かだから、そこに暮らす人間の心も豊かなのであろう。他人の土地を奪い取る謀をする時間があるのならば、灌漑を引き、開拓しなければならない田畑がある。その人手も足りないほどだ。

「犬猫を畜生と呼ぶ儂らのほうが、しょっちゅう親兄弟で殺し合っておる。両親が健在で搦め手の隠居館が無住でなかったならば、こぎゃん永冨一門同士の戦は起こらんばい。早く息子たちが大きくなり、家督を譲り、自分は搦め手の館に隠居したかばい。青沼の戯けどもが……」

但馬守は心の中で吐き捨てた。

この夜、但馬守は、「次に目が覚めるときは、夜討ちば掛けられ、矢が屋敷に突き刺さる音ば耳にするときではなかとか」そんな心配がよぎるなか床についた。

幼少時、少量の血を見るのも恐ろしかったが、良くも悪くも、血や死体に慣れきってしまった、と但馬守は思った。平生は枕元に太刀を置いて就寝していたが、その夜は左脇に槍を置いて就寝したかった。しかし家の者に不安を与えてしまうと考え、但馬守は止めておいた。

但馬守は普段の寅の刻より一刻ほど早い丑寅の刻（午前三時）に目を覚ました。まだ辺りは暗かった。寝所に小勢で討ち入ってこられるのを警戒するためだった。但馬守は横臥したまま、考え事をしていた。

朝食前、但馬守は広間をのぞいてみた。すでに血に汚れた畳は館外に出されていたが、広間の板間、板戸、天井などには、黒ずんだ血痕が残り、血の臭いがまだ漂っていた。

切迫

「今度は、あき姫様でございますか。先ほどは殿が雨は降りそうか、と尋ねにいらっしゃいました。数日は降りそうにはなかです、とお答え致しましたところ、殿は、雨というものは降って欲しいときには降らず、今年の梅花の宴を催した際にも途中から降ってきた、と苦笑いをしながらおっしゃられました」

あき姫は、父と同じことを願っていることに誇らしさを感じた。

「わたしらが詰めるのは屋根のある城と館たい。敵は野陣。雨が降るなか陣を張り続けるのは辛かもんたい。また、茅葺屋根は火に弱かばい。火矢を射られると、瞬く間に火は燃え広がり、屋敷はじきに焼け落ちてしまう。塀や柵に囲まれているので、わたしらは逃げ場がなかごとなってしまう。もし雨が降るならば、火矢が屋根や壁に命中しても燃え広がらん。雨は籠城する側に味方する」

「ごもっとも。……残念ながら、雨が降る気配はなかとです」

いったんはこう述べた太郎だったが、西の空を見上げながら意味不明なことを漏らした。

「ばってん、私にお任せくください」

あき姫は太郎の言葉に頼もしさを感じながらも、訝《いぶか》りの表情を見せるほかなかった。

太郎は笑いながら、

「殿とまったく同じ表情をされますばい。親子でございます」

「何を申す」あき姫は顔を赤らめた。

「必ず、私が雨を降らしてみせましょう」

「必ず、というのは、絶対に、ということか」

「はい、絶対に、でございます。詳細は戦さに勝った後に、きちんと申し上げましょう」太郎は言い切った。

あき姫は、村の子供たちや妊婦、乳飲み子を抱えた女たちとともに搦め手の館に籠る準備に専念しなければならなかった。そこで、村内で飼われている牛や鶏、犬猫たちの安全な場所への移動を太郎に依頼した。太郎は力を込めて、「やさしか姫様ばい。お任せくください」と即答した。この瞬間、あき姫には太郎が一騎当千の兵のごとく見えた。が、その直後には鼻の穴をほじり、とれた鼻くそを指で飛ばし悠然と立ち去っていく——普段と少しも変わらない——太郎の呑気な後ろ姿に、あき姫は笑みがこぼれた。

敵味方、住んでいるのは人吉球磨盆地。攻める側守る側、人間なので主食も同じ米だ。永冨山田荘のように、凶作や飢饉に見舞われず、疫病が蔓延することもなく、仮にそれらが発生しても、これまでの蓄えでしのいでいける豊かな村がある。この一方で、暮らしている村が戦場となり荒廃、凶作による飢饉、そして疫病などが立て続けに起こってしまう村も存在する。この差は運不運で説明がつくものなのか。

米が豊作だと生活のすべてが上手くいく。これは正しい。凶作だと集落のすべての事柄が上手くいかなくなる。凶作に備えて蓄えられていたヒエも底をつく。しかし腹は朝夕必ず減る。子供はひもじいと泣き喚《わめ》く。行水の際、己の身体を見るとアバラ骨がはっきりと浮き出ているのに愕然としてしまう。水を呑んでも空腹は満たされない。寒いときは野草も生えていない、山に分け入っても木の実も採れない。種を植えたとしても収穫までには日数がかかる。ゆえに雑草の伸びのはやさにはげしい苛立ちを覚える。人智を越えた禍は起こるものだ。毎日あれこれ手入れをしてきても、収穫できないのではないかと不安になる。

餓死してしまうのは己あるいは家族かもしれないという恐怖に苛まれながら、家の座敷の鴨居に掛けてある槍や夜間は枕元に置いている太刀の刀身が——鞘に収まっているにもかかわらず——心の中では鈍く輝いて見えてしまう。暇を持て余すなか、何気に鞘を抜き、切っ先から刃文へと視線を移してみると、鮮血が流れたように感じてしまう。食べる物よりも、武具のほうが頭の中を過ってしまう。その回数も増えていく。

やむにやまれないこともあろう。

これ以上の水腹の日々に我慢できず、手っ取り早く空腹を満たしてしまおうとよからぬ考えが起こってしまう。近くに豊かな村があるといった噂は瞬く間に広がるものだ。ついには、集団でその村を襲撃し、収穫物を奪い、村人も殺してしまおうという計画が練られ、実行されてしまうわけだ。真っ当な良き人ならば、親や身内に助けを求めることができる。しかし不義理を重ねてきた者はそれができない。

斉木村内では、個人の戦支度と惣構えの用意が着々と進められていた。出陣するわけではないが、籠城のための準備には人手と時間が必要だった。

先祖伝来の宝物を屋敷の土中に埋める、あるいは城への運搬
土塁の斜面の、敵兵が手をかけて登りやすくなる草木の刈り払い
木の板を張り合わせた臨時の櫓を城と館の要所に拵える作業

平素はなぜ重い木の板がこんなにたくさん必要なのかと無用なものに感じさせてきたが、戦には

必需品である――要所に矢を防ぐ木板の運搬と設置
櫓の直下にまで迫った敵兵に対して落す石と浴びせかける糞尿
夜警のためのかがり火に用いる薪
火矢による建物の炎上を食い止めるための消火用の水や土砂
土蔵から台所への兵糧米の搬入
傷の手当のために必要な薬草、古着、古布、手ぬぐい
搦め手の堀切に架かる木橋の板をすぐに外せるようにしておくための釘抜き
搦め手の二重の堀切の底部に逆木を足す作業

「外した板戸と畳は弓矢を防ぐのに役に立つばい。板戸、畳をしっかり持ちながら、数人で敵に飛び掛かれ！　いかなる剛勇の士であろうと、太刀、槍を二本持って戦うことはできんたい。一度に突き差すことができる敵は多くても一人。三人で板戸を持って飛び掛かれば、仮に槍先で板戸を突き破られ一人が絶命しても、残りの二人で敵の鎧の重みば利用しながら、そんまま全体重を乗せて押し倒せ。止めは脇差、鎌で首を掻っ切れ！」

檄が飛び交うなか、村人たちは不意の急襲に備える警戒と並行して戦準備を着実に進めていた。

台所での陣頭指揮を執るのは、奥方と名主の夫人たちだ。袴をはき、懐には短刀を忍ばせ、薙刀を傍らに置いている。城内を移動する際は薙刀を携行している。

奥方と名主の夫人たちにとって初めての戦ではなかった。だが幸か不幸か、籠城戦は初めての経験だった。そのため当初は混乱が生じていたが、奥方と名主の夫人たちからは矢継ぎ早に的確な指示が飛ぶようになっていった。

「飲み水、消火、戦傷者の治療用に鳩胸川から水ばできるだけ汲んでおくように」

「城兵は喉がひじょうに乾く。台所の出入り口には柄杓とともに大甕を据え、水を入れておきなさい」

「深手の疵を負った兵は、ふだん配膳を行っている部屋と囲炉裏部屋に運び入れよ。竈《かまど》では米を炊き続け、各所に詰める兵たちに握り飯を配りに行きなさい」

「戦の最中は、火矢攻撃に対する消火および負傷した者が直ちに持ち場に戻れるように手当をなすこと」

各名主館では――常々教えてはきていたのだが――親や古老が息子や孫、若い兵に対し、厳しい口調で、やるかやられるかの、「待った」は決して許されない実戦で生き残る術を叩きこんでいた。

「日頃の訓練での的《まと》は動かんが、人間は動く。鹿などとも異なり、戦での兵士は――矢が体まで貫通するすき間がほとんどなか――甲冑で身体を固めとる。矢が命中したとしても致命傷を負わすことはまず無理たい。顔を目掛けて放った矢も、頬あてによって、はね返されてしまうたい。今度の戦いは人吉球磨に外から攻め寄せてくる敵ではなか。知った顔も見えるため矢の勢いが緩んでしまうやもしれぬ。槍といえども、鎧兜のすき間を見つけて突き刺さねば意味をなさん。頭は兜、喉は垂《たれ》、頬は半頬、肩は袖、腕は籠手、胴体は胴具足、下腹部は草摺、腿は佩楯、膝と脛は立挙と脛当で、それぞれ守られとる。狙うは草鞋と顔面くらいじゃ。薙刀は足先に向かって振り下ろせ。足先は甲冑を付けておらん。草履だけたい。歩けなくさせろ。——組み伏せて、首の頸動脈や脇から心臓を狙って鎧通を突き刺さしてはじめて、敵の息の根は止まる」

「当たらない矢は射るな。引きつけて射れ。軍記物にみえる、激しく降る雨のような射方は役にはたたん。実戦では矢種は無限ではなかぞ」

真っ直ぐには飛ばない矢の選別作業。素槍部分に錆や割れなどがないかの確認。背後の敵を一突きで確実に倒せるように石突き部分の手入れもなされていた。

厳しい戦いが予想されていた。

「左近将監（長続）殿直属の兵だけならば、我々の兵数と変わらないのだが、合力する勢力がひじょうに多かごたるばい。我々と比べて攻め寄せてくる兵員は三倍。多勢の攻城兵に対して寡兵で守り抜かねばならん」

内訌とは言いながらも、斉木村住人の戦意は高揚していった。

軍議

斉木館の座敷にて、但馬守は名主たちに対し自ら立案した戦術を伝え、名主らの意見を聞くことにした。

まず、一所懸命の地永冨山田荘を守り抜く決意を改めて確認した。

次に、永冨山田荘の地図が板敷の上に広げられ、三つの城と一つの館に籠城する人員が発表された。

斉木城二〇〇

七地城一〇〇

中田城八十

斉木奥水無の館二十

総勢四〇〇名

斉木の城に籠る者の数がもっとも多いが、これは乳飲み子や妊婦、子供、呆けてしまい武器をあつかうことができなくなった年寄りらが当城に詰めるに過ぎなかった。なお落城の際、足弱が落ち延びていくことを考え、球磨川に面した七地の城で籠城させる案も検討された。しかし堅固さを理由に斉木の城が詰め城として選ばれた。

続いて、永冨山田荘内の惣構えが発表された。

先備　麓入口の物見櫓、麓の各名主屋敷、騎馬武者とその脇を固める従者三名を一組とする機動部隊および複数の辻での伏兵

中備　地頭館　大将は但馬守の嫡男　土橋での挟撃

本陣　斉木城　大手櫓門、物見櫓、三の曲輪、二の曲輪および一の曲輪　斉木但馬守頼重は一の曲輪での指揮

後備　カマノクド物見櫓、搦め手の隠居館

台所　但馬守夫人、名主たちの妻、神主らが炊き出し、消火ならびに戦傷者の手当の指揮

但馬守らは、長続の主力は麓の西北側に陣を張ると予想していた。籠城戦であり、兵力を比べると、有象無象の衆が結集しているとはいえ、長続勢のほうが明らかに多かった。頭数では三倍の開きがあった。

永冨山田荘の漆田、斉木、七地の村々は、この順序で米の収穫高があった。各村、食料の備蓄も十分にあった。さらに各城内に井泉・水の手を有していた。攻城側の長続勢は兵糧攻めによる持久戦は考えていなかった。兵力の差を活かし、力攻めによる急戦で決着をつけようとしていた。

長続は、捲土重来を期し、北薩の地に留まる旧領主勢力相良堯頼恩顧の者たちに合力した島津奥州家勢と菱刈氏を主とした北薩国人勢力が峠を越えて、人吉へとなだれ込んで来ることを警戒していた。自身が在陣する人吉城を取り巻かれ、七地・斉木方面から挟み撃ちにされることも危惧していた。戦が長引くにしたがい、薩摩の勢力と永冨宗家勢が手を結んでしまうこと、滅ぼした上相良

一族の者らが郡内各所で蜂起することも気がかりといえた。せっかく奪い取れた相良宗家の惣領の地位を手放したくはない。長続は嫡子頼金にそれを継承させたかった。

斉木城は天然の要害そのもの。周りは急峻な崖地、とりわけ後背は南東から北東まで鳩胸川が直下に流れる。斉木の村人は、麓と城大手口を結ぶ土橋での攻防が重要となると考えていた。

土橋の西側には地頭館が構えられている。但馬守嫡男頼清たちが詰める。地頭館を死守できている限り、城に籠る味方とともに狭く自由の利かない土橋上の敵を挟撃できる。地頭館は斉木城の出《で》の丸《まる》といえる。しかし四方を水堀と土塁で囲まれている当館が敵の手に落ちてしまうと、敵方の付け城となり、攻めの拠点にされてしまう。一転して籠城側は不利な状況に陥る。斎木城、いや、斉木の地、そして永冨山田荘を守り抜けるか否かは、地頭館での攻防しだいと言えた。

但馬守の近習が最新の戦況を発表した。

斉木城　攻め手は斉木麓の西に布陣する本隊
七地城　求麻川を渡河してきた人吉城からの別働隊が布陣
中田城　長続嫡男相良頼金が率いる山田荘とその周辺に根を張る勢力が柳瀬村十島を渡河し、城東の麓に布陣する見込み
斉木奥水無の館　人吉西方の諸衆が蓑野方面から山を越え進軍中

長続は、軍勢を四組に編成し、各城に攻め寄せる作戦を採ることにした。

「左近将監殿は、原城にて指揮を執っている模様。球磨川北岸の人吉城には嫡子頼金殿が籠っています。人吉城の西の丸に奥方や三男の為続殿は詰めています」

この報告を聞いた但馬守は、

「甥の為続はまだこの状況を理解できない年頃ばってん、頼金は父親と叔父一族という身内同士での戦をいかに思っているのであろうか。いずれの城でも、先陣を任されているのは、この地（永富山田荘）が欲しく、讒言を積極的になしてきた輩どもであろう」と、二人が幼かった頃の顔を思い浮かべながら戦況について感想を述べた。

そのとき、斉木麓の西方で陣取る軍勢において青い旗が目立っている、と物見櫓からの報告が寄せられた。

求麻川北岸は長続勢一色。泉田の米冨館も同勢力に完全に包囲されてしまっていた。

その支流「胸川」沿いに位置する「間村」西地域の住人は長続側につく。この動向は予想されていた。いっぽうで、当村の東に住む者たちの動向が不明という気がかりな知らせも入ってきた。数日前、村の長から中立に徹するとの書状が但馬守宛に届いていたからだった。

長続配下の上球磨の国人領主らの情勢に関する報告も寄せられた。長続は、これらの国人勢力に対し以下の下知をしていた。

「吾を恨み、滅亡後も主君上相良家をいまでも慕う残党勢力が今回の戦に乗じて蜂起せぬように、それぞれの所領にとどまり、上相良残党勢力を監視する役目を果たすことを申し付ける」

したがって、上球磨の国人勢力と上相良残党勢力は、互いに牽制し、永冨山田荘に攻め寄せて来ることはない。また但馬守夫人まさの出身であった「上村一族」ともう一つの大族「犬童一族」。両族についても牽制しあい、領外へと兵を動かすことは難しい。但馬守らはこう分析していた。

但馬守から名主たちに、仲裁交渉についての経過説明がなされた。一武城の米冨頼照から仲裁依頼に関する返事がいまだに届いていないこと。その原因として、斉木の使者は本人に面会し、無事に帰館しているので、返書を持った米冨の使者が斉木にたどり着く前に殺害された可能性が高いこと。

なお、但馬守の書状を携え北薩へと向かった永冨宗家の使者は、牛屎院で亡き相良堯頼恩顧の残存勢力の長《おさ》と名乗る者に面会し、無事に斉木城へと帰ってきていた。しかしその長は「同じ永冨一族に変わりはなか。永冨同士、十分に殺し合った後、ゆっくりと攻め入ってやる。これぞ海はない盆地での漁夫の利たい」と但馬守の申し出を一蹴していた。その後、一乗寺の大蟲和尚から送られてきた書状に対しても、その長は――但馬守に対する返書とは違い丁寧な文面だったが――同じ結論とその理由を綴り、返していた。

但馬守が説明を終えた後、いくつか質問は出たが、異議を唱える者はいなかった。

但馬守は籠城と並行して、旗色が悪くなった場合にとる妙計を有していたが、軍議の場において明かされることはなかった。

抜け道のある搦め手の守りについて特命が発せられた。

「論ずるまでもなく、大手から攻め寄せる敵への備えは大切ばってん、本丸の搦め手の守りこそ大切たい。とりわけ斉木城の後背には籠城の生命線といえる井泉がある。その一所の東側には二重の堀切を設けているが、敵がそこを抜けてしまうと一の曲輪まで一気に攻め寄せられ落城必至となる——。攻め手は多勢であり、多くの兵を本丸の後背地の守りのためには割くことはできんばい。普請の際、水の手を切ってしまう恐れがあったため、堀切を幾重にも深く穿《うが》つことはしてはおらん。だからこそ少数精鋭の者が守りに就いておかねばならん——。お主ら四人に任せる。二人は物見櫓に上れ。一人は曲輪内を移動しながら、もう一人は曲輪下の抜け道の周辺を見張っとれ。頼むぞ」

つづけて但馬守は、妻まさと子どもたち三人、名主の妻たち、斉木神社の神主を書院に集めた。

奥方は平素から台所を取り仕切っていた。戦時には村の女たちとともに台所で炊き出しを行う。戦いが始まると、並行して負傷者の手当、消火も行わなければならなくなる。それらの指揮は、まさ、名主の妻たち、神主が担うことになった。

但馬守は、長女あきに対して、次郎丸としず、斉木村の子供たち、妊婦、乳飲み子を抱えた女性、呆けた爺さんや婆さんたちとともに、搦め手の隠居館に——大将として——詰めることを命じた。

「搦め手口のカマノクド櫓には四名の精鋭が詰めている。だが万が一、敵が空堀を越え、館へとなだれ込んできた際は、あき、よ！　お前が大将の責任として本丸への伝令を出せ。よって、あきが絶えず注意を払っておかねばならない方角は戦闘が行われる大手口ではなく、反対の搦め手口の方角たい。本丸から応援が来るまで、一命にかえても、館の土塁手前で敵兵を食い止めろ。厳命する」

決起

皆、囲炉裏を囲みながら朝食をとっていた。各々が意識していたためだろうか、ふだんと変わらない静かな光景といえた。これまでと異なっていたのは、焚かれたご飯の量の多さと川魚が添えられていた点、そして、しず姫が「七地村に行きたか」と言い出すこともなく、あき姫の隣で眠たい目をこすりながら食事をしていたことだった。

但馬守は嫡子である頼清に命じた。

「頼清よ。敵はこれから勢だまりで決起の集まりを開くばってん、敵は村の者が持ち場を離れ、一堂に会している最中を好機ととらえ、その間に城館近くに伏兵を潜ませる、ないしは陣から一気に攻め寄せて来るやもしれぬ。各要所には見張りの者は配置しているが、その数は十分とはいえない状況となる。用心のため朝食を終えたら、おまえは若い者三名ば選び、その者たちとともに麓とその周辺の巡視を始めよ」

「はい、かしこまりました」

頼清は、残っていた飯をかきこんだ。この任務は、大将が最も信任を置いている者に命じる大役であることを頼清は承知していた。その名誉に浴しながら、甲冑を纏うためいったん座敷へと向かう頼清の歩幅は自然と大きく、足取りは速くなっていた。

「決起が終わるまで休みはなか。馬上で食事となるので、握り飯を作るように」但馬守は台所を取り仕切る夫人まさに告げた。

平時、地頭館の南側は「的場」と呼ばれ、流鏑馬、笠懸、歩射といった武芸の鍛錬が行われている。有事には勢溜りとなる。

地頭館北から西側に広がる馬場では、厩から出された馬たちも、只ならぬ雰囲気を感じて興奮し、馬場を縦横に駆け回っている。戦の支度は整っていることを誇示しているかのようだ。

「実戦で鎧兜を纏うのは、矢黒城攻め以来一年と半年振りたい。やはり重たかな。敵の首級を挙げる前に、兜の重さで首が折れそうばい。その重みも年齢とともに増している感じがする。がちゃがちゃと甲冑が発てる音も五月蝿か」各名主屋敷では、そんな余裕のある笑いのあるやりとりもなされていた。

先日の地頭館での出来事以来、近いうちに相良宗家惣領となった同族の永冨長続との間で戦が始まることは、もちろん村人は予想していた。

「これから田植えが始まろうとしとるのに……。久しぶりの戦が、よりにもよって、お生まれになられた時から存じ上げている左近将監様率いる軍勢が相手になろうとは、な……、兄弟なのに戦を回避することはできんかったとか――」

「今回の戦は気が進まんばい」

永冨山田荘に暮らす者たちの多くが今回の戦には消極的だった。

「矛先を鎮め合い、和睦とはならぬのか」

一部の村人たちは、開戦間際となった今でさえ、一武城主米冨頼照あるいは一乗寺大蟲和尚からの仲裁成功、または薩摩国牛屎院領主牛屎一族から支援を伝える知らせが届くことを期待していた。だが現実は、その期待を打ち消すかのように、永冨山田荘の住人とって芳しくない知らせばかりが耳に入ってきていた。

「国境を越え、北薩からわれわれに味方する後詰めの兵が駆けつけている、と噂が飛び交えば、敵は城の包囲をやめるのだが……」

「永冨一門内で争って、得をするのは永冨以外の讒言勢力の者たちばい。この争いに乗じて、島津の奴らが人吉球磨盆地に攻め込んで来るかもしれぬのに……」

「左近将監様が上相良を滅ぼした文安五年の内訌の次は、永冨宗家と分家との間で宝徳三年の内訌が起こってしまうのか」

「先日のカマノクドの紅赤血の一件は、奇瑞ではなく、斉木の住人はまったく望んでおらん内訌の前兆だったというわけたい」

「各人がやるべきことを為すことこそが、一所懸命の地と仲間を守ることになるばい」

「その通り。今、儂らが為すべきことは夜討ち朝駆けの警戒なり」

勢溜りに集まった者たちは、皆押し黙っていた。戦が始まるまで、そして火ぶたが切られてからは何をすべきか、各自考えていた。

地頭館広間での軍議が終わり、但馬守が名主たちとともに、勢溜りに現れた。

但馬守の第一声《だいいっせい》は「皆の者、すでに弟長続との縁は切っておる」で始まった。そう言い終えると、無言のまま、勢溜りに集まった者たち一人一人の顔をゆっくりと見渡した。

但馬守は大きくうなずいた後、軍配団扇を掲げ、自身の決意を語り始めた。

「永冨一族の本貫地は、此処斉木と斉木奥水無、そして漆田、七地たい。先人たちは鳩胸川の水と湧水を用い、谷から広がる田畑を一所懸命に開墾し、対岸の平地である五日市場周辺の田畑へと開墾地を拡大させてきた。さらには北方のかつては平河一族の荘園永吉庄山田村も、われわれ永冨一族の所領となっておる。――永冨名主の時代から、相良一族とともに、永冨一族は成長してきた。ばってん、二十年前、扇の要であった父が亡くなり、十年前に母が亡くなってしもうた。振り返ると、その頃から次第に、兄弟の結束がばらばらになりはじめたように思う。要《かなめ》がなくなっても、ひとつひとつの骨は紙によってつながっているので、扇の形は成している。近ごろの長続は、一所懸命の地である斉木、七地、漆田、斉木奥水無の四村と村人との絆を忘れてしまったかのような振る舞いをしておる。無論、弟長続も永富山田荘で生まれ、地頭館で育った者たい。この地に愛着を感じているのは間違いなか。ところが、皆知ってのとおり、先日、使者が寄越して、兄であり、永富宗家惣領の儂に対して、切腹を命じてきた。なんとることぞ」

但馬守の口調が一段と激しくなった。

「皆この地に生まれ、相良の家督を継ぐ惣領の地位に就いた長続のことを誇りに思っていたであろう。私もそぎゃんじゃった。あのとき郡内でもっとも喜んでいたのはこの儂ぞ。間違いなか。だが、無念千万にもこのような刃《やいば》を向け合う関係となってしもうた。——皆も、これまでは左近将監様と呼んでいたが、これより敬称は不要。長続でよい。我が弟であることも忘れよ」

但馬守は、気持ちの高ぶりが極致に達しているのを自覚できていた。気持ちを落ち着かせるため、天候を確認しようと空を見上げた。そして一回大きく息を吐いた。

具体的な戦術について話し始めた。

「斉木城を扇の要部分とするならば、斉木の麓は扇の形をしていて、原城の方角に開けている。ゆえに長続勢が攻め寄せて来るのは、地続きとなっている麓の西北方面からたい。——こちらの拠点は斉木・七地・漆田の各城及び斉木水無の館、計四所。北薩で勢力回復を覗う堯頼殿旧勢力と人吉球磨への進出を狙う島津勢の動向が気になる。日向の真幸院などの勢力も油断ならぬ。滅ぼされた上相良の残党勢力も日向や薩摩勢と手を結び、勢力回復を狙っているかもしれぬ。言うまでもなく、田植えも始まる時候ばい。だからこそ、長続と讒言取り巻きの輩どもは、早期に決着をつけたいと考えておるにちがいなか」

　但馬守は、そう言い終わると、長続の主力が攻め寄せてくる麓の西北を睨みつけた。

「この城の搦め手には水の手があり、食糧も貯えられているので、敵は持久戦ではなく、一気に攻めかかってくる。——われらの戦い方を一言で表すならば、「名主《みょうしゅ》戦法」たい。個・自立・自律を良しとするのが「名主《みょうしゅ》道」。名田《みょうでん》の主《あるじ》単位で戦う。つまり己の名が付いた名田を持っている者は、各自弓矢・槍・大小刀を携えて、「個」単位で戦え！　敢えて大将を決めるならば、各館の長たい。麓の各館ごとに守りを固める。名主一族の者から麓の辻々での伏兵を選抜せよ！　麓の城戸には弓矢の名手を配置する。名主の者たちの半分は麓の名主屋敷に詰めよ！　残りの半分は地頭館と城に籠るように！　儂は斉木城に詰め、地頭館は頼清に任せる。女たちは城の台所で炊き出し、傷病者の手当、消火活動を行え！　その指示は（妻の）まさと名主の夫人たち、神主殿に任せることにする。麓ば縦横に駆ける騎馬武者と辻の伏兵および搦め手の守りは永冨宗家の者らに任せよ。童、妊婦、乳飲み子を抱えた女たちは搦め手の隠居館に詰めること」

　述べ終わった但馬守はあき姫を見て、大きく頷いた。真一文字に結んでいたあき姫の口元にさらに力が込められたのが但馬守には、はっきりと分かった。あき姫の隣に寄り添っていたしず姫のほうが、この父の頷きに応え、笑みを漏らし、「うん」とおおきく頷いた。

「各自、納得できた戦ができたならば、館に火を放ち、命運をとともにするのもよし。門を開け放ち、敵に斬り込むのもよし。あるいは諦めることなく、長続と刺し違え、その首を獲るまで戦い続けるもよし。その判断は、各館の長にいっさいを任せるばい。悔いののこらぬよう、一所懸命戦い抜いてくれ！」

ここで但馬守は斉木の城に集まった兵力——人員と属性——を再び見渡した。直観とはいえ、勝ち目はうすい戦のように感じられた。戦の直前に、決して抱いてはいけない思いを打ち消したく、何度か小さく首を振った。

「正直に皆に伝えておく。知ってのとおり、古より、城を攻略するには、少なくとも城兵の三倍の寄せ手が必要だと云われてきた。弟長続は永冨山田荘で生まれ、斉木の地を悉く知っている者たい。——なぜこの場所に曲輪は築かれたのか、物見櫓はこの場所に上げられたのかなど普請と作事について、若い時分に、各場所に立ちながら、父から城の縄張りの意図について詳しく教えられてきた。もしこの城を攻めるならば、お前ならばどう攻める、反対にどのようなことに気をつけながら守りを固めるのか、縄張りの弱点はどこにあるか答えてみよ、と厳しく問われたことを今でも思い出すばい。長続も当時の記憶を呼び起こしながら、攻め手の大将に対し、斉木地頭館の弱点など詳しく伝えているであろう。率直に申せば、今回の戦については兵力が多い側が勝ち、少ない方が負けると考えている。現状は兵力が少ない我々、永冨宗家勢が不利と言える」

長続の主力部隊は斉木麓の西側の平地に布陣していた。日の出とともに開戦は必至といえた。攻城側、籠城側双方、多くの兵の心中は複雑だった。口には出さずとも、土壇場で和議が成立してほしいと願う者が多かった。

決戦迫るなか、最前線である斉木麓西に位置する長続軍の陣所にて、かがり火の下、槍の剣先《けんさき》を熱心に潰している若武者がいた。周りの者がこの不可解な行動に対して理由を尋ねたところ、

「今度の戦いで拙者と槍で戦うことになる相手は、敵といえども腕が立つ者にまちがいなかとです。互いに命があってこそ功名を立てることができるというものです。とりわけ、この戦さは内訌なり。つまり外敵に対してではなかばい。槍刃を潰して相手を殺すのを避けたかとです」と、若武者は返答した。

一方、籠城側である斉木城三の曲輪の雰囲気は、斉木麓の西に陣を張る敵の主力軍との間には、城戸、高楼、麓に点在する名主屋敷、斉木館、土橋——守備拠点が設けられていたので、緊張が頂点に達していたわけではなかった。城兵同士の会話や笑い声も聞かれていた。

「おう、八郎。お主は烏帽子成りも済んだばかりではなかとか。ならば初めての本格的な戦たい。矢面にたつことこそが乙名となった証とはいえ、初陣が一族内の戦になろうとはな……。難しい戦になるぞ。まあ、人生はうまくいかんもんたい。だからこそ生き残らんといかん」

初陣の兵に対して武運を祈る声がかけられていた。

「生き残ろうなどとは毛頭考えてはおりませぬ」

「うむ、力強か言葉たい。手ごわか相手に勝利すればこそ、揺るがん自信を持つことができるようになったい。……しかし、正直に申してみよ。身体が震えとらんか、どぎゃんか」

若いときの武功「槍一本にて足をも踏直さす敵十八人突伏申候、是刀の人に勝れ申候故也」で名を轟かせてきた古参の武将らしい質問といえた。

八郎が答えあぐねていると、

「儂も、はるか昔の初陣のとき、開戦前夜同じように脅されたものたい。実際、戦は日々の稽古とは違いなんさま恐ろしかもんばい。ばってん、その恐ろしさは戦が始まって一時だけたい。味方が一所懸命に戦い続ける姿。反対に敵の矢にあたり、絶命する姿。そういう場面を見せつけられると死に対する感覚が無《む》になってしまう。だがのぉ、日が傾き、その日の戦が終わろうとする頃になると、急に身体が震えだす。その震えが翌朝まで続く。場数を重ねていくうちに、その震えの時間は短くなっていく。ついには震えることもなくなり、地べたでも泥のように眠ってしまう」古参の武将は話し終えると大笑いした。

「太刀と脇差を見せてくれんか」と、古参の武将は八郎にたずねた。受け取った太刀と脇差を検分しながら、手柄を挙げる一方で、戦場で生き残る術を授けた。

「日頃手入れはしていたとしても、戦の直前にもう一度、普段は柄に隠れている茎、特に目釘穴と目釘を点検しておかんといかんばい。いざ、相手の急所に刃を押し当てることはできても、刀を引こうとした途端、目釘穴から目釘が抜けてしまい、刀身が抜け落ちてしまうたい。そんまま返り刀を浴びせられ、ほくそ笑む面前の敵の眼を虚ろに見据えながら、無念千万なり……と最期の言葉を吐く——これでは死んでも死にきれん。実戦では、信じられないことが起こってしまう。だからこそ、自分自身が絶体絶命の窮地に追い込まれても、決して諦めたらいかん。手足が動かなくなっても、歯がある。敵の喉元に噛みつくべし！　分かったな。——刀は当てても致命傷を与えることはできん。刀を引いたときに初めて致命傷を敵に負わせることができる。反対に、己の体に相手の刃が当たった際、後方に逃げてしまうと、それが致命傷となったい。反対に刀を引かせんように敵に自分の体を近づけないと駄目だ。実際行うのは、とてつもなく難しかばってん、そうせんと命はなか」

「ありがとうございます」

八郎は古参の武士に感謝の言葉を述べ、頷いた。すると、

「此処だけの話にして欲しかとだが、今語ったことは、身体中に槍傷、刀傷が無数に残っとった、武勇千万と評されていた兵《つわもの》がずっと昔に儂に語ってくれた話の受け売りに過ぎぬとたい」

二人が会話している間に、雨が激しく降り出した。八郎は、篝の薪を足す用意をし始めた。

地頭館で開かれた戦評定にて、但馬守は「麓に点在している名主屋敷を防塁とし、そこより東へと、一兵たりとも西から攻め寄せる敵の主力を進めさせるな」と厳命を出していた。

但馬守は、麓の西北部の土塁と惣掘、物見櫓の井楼と麓門を最前線の備えとする策は考えていなかった。騎馬武者と従者三名を一組とし、その機動性を活かしながら、麓の数カ所に柵を振り、袋地を作り、ネズミのように敵を追い詰め、討ち取る。敵兵を分散させながら各名主屋敷の前へと誘い込んだ上での腹背攻撃――二つの戦術を用いることにした。

長続軍の先陣の兵たちは、戦術とは知らず、斉木勢の抵抗はないものと勘違いしてしまった。敵は但馬守の術中にはまり、ぞくぞくと麓の内へとおびきよせられた。やがて次々と討ち取られていった。

物見櫓に詰める城兵は、多くの敵兵を倒そうとはせず、麓に侵入した敵将を見定め、背後から確実に射抜いていった。並行して、高みから麓内の敵兵の動きを観察し、味方の騎兵がどう動けば、敵は袋のネズミとなり、辻々で討ち取ることができるかを味方に声や手ぶりで伝え、誘導していた。

「物見櫓の兵は自身を囮と考えよ。高くそびえる櫓だからこそ寄せ手が最初に注目してしまうものたい。敵のほとんどは麓へとそのまま進まず、物見櫓を焼き落そうと火矢を射る、ないしは柱を壊そうと物見櫓の周囲に群がるはずたい。その間、麓に侵入してきた敵を確実に討ち取らんといかんばい。皆、頼むぞ」

この但馬守の命を受けていた物見櫓の兵たちは

「すでに我が魂は櫓の大柱に固く結わえつけ、討死は覚悟しておる」

と、互いに士気を高めながら、大石を櫓に上げていた。

大石を頭上から落とされ、血を吹き出し絶命していった仲間の最期や、櫓下に頭部がひしゃげたままの仲間の屍骸が置かれているのを見せつけられた攻城の兵たちは、怖気づき物見櫓に接近できなくなっていた。物見櫓に詰めていた斉木衆の活躍は、前線や陣との間を行き来する伝令も射抜くなど目覚ましかった。

開戦後しばらくの間、斉木の村人は守備は首尾よくいっている、と感じていた。だが敵もあっぱれ。麓を抜け、正門の虎口まで迫ってきた。

「攻め寄せてくる大軍を怖れたらいかん。頭数の多さだけで中身は伴ってはおらぬ愚か者どもたい。斉木の城は堅固なり。敵が攻め入る箇所は、この大手門以外はなか。多勢の敵を、この狭か土橋の上で挟み撃ちにし、打ち負かすぞ！」

この斉木地頭館大将永冨頼清による戦意を鼓舞する檄に応えて、地頭館と大手櫓門、両所から斉木村中に響き渡るような大きな勝ち鬨があがった。麓にある地頭館と城との分断を図ること、それが敵の次なる狙いなのは明白だった。

頼清たちが詰める地頭館と大手櫓門との間にかかる土橋上での挟撃作戦が開始された。

土橋戦

地頭館の建つ地点を抜けた敵が城へと攻め寄せたものの、土橋上で挟撃され退治されていった。「無勢で籠る城たい。そこを多勢で攻め懸かる。敵城は容易く落ちるばい」と寄せ手の兵に過信が生じていた。いっぽう斉木城に詰める兵は「戦の勝敗は敵がこの土橋を渡りきらぬうちに、どれだけ倒せるのかにかかっているばい」と土橋での攻防に命を賭けていた。

橋を渡る際、敵の陣形はどうしても長くなってしまう。両側は深い空濠。前方は閉じた表城門。背後の館からも矢が懸かる。たとえ土橋を越え、表門にたどり着けたとしても、敵兵に向け臨時にこしらえた櫓と物見櫓から横矢が掛けられる。

攻め手の勢いを削ぐ策のひとつとして、堀を渡り、土塁を越え、柵を乗り越え、「我こそは相良宗家中に名を得たる……」などと声高に名乗りを上げ始めた者へと弓を懸けることが城兵に徹底周知されていた。このような者こそ「大剛の者」と呼ぶべきだが、ここぞとばかり名乗りを挙げることに集中してしまい、周りの戦況は見えていないものだ。まして飛んでくる弓矢に気づくわけがない。一番乗りの手柄を挙げた者を討っておかないと、一気に敵勢の勢いが増してしまい、多勢の敵兵が城内へとなだれ込み、その勢いを保ったまま一の曲輪まで押し切られ、あっけなく城は落ちてしまう。
狭くまともに動けない土橋の上で多勢の兵がひしめきあうなか、城および館からの挟撃を受け、敵兵は浮足立ち狼狽した。楽勝気配が一転、敵は総崩れ寸前に陥った。多勢ほど一度総崩れとなると立て直すのはきわめて難しいものだ。前方にいる味方が次々と振り向き、宙に浮いたような目と自分の目が合ってしまう。すると自分も退却しようと後ろを振り向き、後ろの者と目が合ってしまう——これらの混乱が狭い所で一斉に起こってしまい、掘に落ちてしまう者や我先と敗走する味方の槍先で負傷してしまう者が続出した。

武士の手本と言える忠勇無比な武将ほど、その場に踏みとどまり、前進を続けるものだ。土橋でも、かような猛将が怒号を発し続けていた。しかし、それは混乱に輪をかけていただけといえた。周囲は平常心を失った兵が逃げ惑うなか、踏みとどまっている勇敢な兵が目立ってしまい、城兵の放つ弓矢の格好の的となっていた。「退却していく者、深手疵を負い動けんごつなった敵兵はそんままにしておけ」と、さらなる厳命が轟いた。

斉木の城兵は、敵兵を押し返すことを第一に考え、門を出ての追撃や深追いは行わなかった。それは城側は寡兵のため、手薄な所に力攻めをされてしまうと、持ちこたえられず、突破されてしまうのを怖れていたからだった。

城兵は、多勢の寄せ手からの猛攻にさらされ、防御が薄くなった所を見つけ、合力に駆けつけていた。城兵には矢の補充、水を飲む、握り飯を食らう、深手負った者を台所へ引き取る、手負いの者との交代、止血といった戦闘行為だけではない、やるべきことがいくつもあった。

総掛り

激しい火矢攻撃を受けていた地頭館だったが、但馬守嫡男頼清率いる兵の奮戦により、持ちこたえていた。だが、ついに館全体が煙火に包まれ、攻城軍の歓声が沸き起こった。

地頭館陥落後も、斉木の兵たちは、麓で死闘を繰り広げていた。しだいにその者たちの声も、戦闘の音も斉木城兵の耳に聞こえてこなくなった。

互角の形勢が崩れた。戦いの渦中にあるにもかかわらず、斉木城内は静寂に包まれていた。この城内の静けさも、総攻めの号令によって打ち消された。頭数にものを言わせた敵兵が次々と堀、土塁、そして板塀を乗り越え、城内に突入してきた。城内の者たちとの組討ちが至る所で繰り広げられていった。

平素の訓練では一対一で戦うが、実戦では戦う相手は一人とは限らない。つまり普段の木刀での稽古と真剣勝負はまったく異なるものだ。常々、何度も教え込まれ、頭では理解できていても、体得はしていないため、実戦経験の少ない若い兵が討ち取られていった。日ごろは剣客と評され、一騎当千の名高き兵と讃えられてきた場数を踏んできた武辺者も、多勢の胴丸姿の雑兵数人によって組み伏せられ、手足を押さえられたまま頸を掻っ切られ、首級をあげられてしまった。

大鎧を着用すると、胴丸と比べて、弓矢や槍の突きに対する防御性は格段に向上する。反面、鎧の重量のため素早く動けなくなってしまう。この重さが原因で敵から倒されてしまうと亀のように簡単には立ち上がれなくなる。柔よく剛を制す、この教えのごとく、非力の者であっても、大鎧の重さを利用して簡単に相手を倒すことが可能だ。何事にも一長一短がある。将棋も守りを厚くすると、攻め駒は不足する。反対に攻めに注力すると自玉の守りは薄くなるのと同じだ。一度に射ることができる矢の数は一矢、手にすることができる槍、太刀も一本、一振り。烏合の衆が相手といえども、多勢無勢では戦いは厳しくなる。

開戦当初から中盤まで、寡兵をものともせず、多数の攻城兵を弓矢、槍で仕留め、一進一退の互角の勝負をしてきた斉木の兵《つわもの》。だか戦が進行していくにつれて、自らの城に籠っていながらも、多勢無勢は如何ともしがたい苦境へと急坂を転がるが如く陥っていった。

城内では、脱出すべき者たちを無事に城外へと抜けださせる策が思案されていた。

「赤子は、わずかな物音でさえ大声で泣きはじむる。そぎゃんことになったら、一団が敵方に見つかってしまう。そこで歳の順に脱出させていこう。最後が赤子と母親たい」

城外においても、

「童らまで死ぬ必要はなか。城から逃がしてやりたか。あなた様のお力でどうにかできんですか」

と攻城軍の武将に直接懇願する者が複数いた。

攻め寄せてくる兵の少ない城の北側では、永冨と同族の者たちが集まり、足弱を救出する隙を覗っていた。彼らは、久米雀ヶ森の戦いに勝利を収めた後、上相良家および同家に加担した平河、須恵、岡本、永里などの国人勢力から没収した所領に新たな名主として斉木・七地・漆田から赴任した者たちだった。

戦さとはいえ、守る側も、攻める側も、同じ人吉球磨の者、永冨一門だったからこそ、斉木の童らや妊婦や乳飲み子を抱えた女たちは親類縁者の手引きで城外へと脱出することができた。

「或は敵に内通して妻子従類引具し落る族多ければ」

『南藤蔓綿録』ではこう記されている。

決断

『南藤』では、開戦後の但馬守の行動については左記のように謎めいた記述となっている。

「依て寄手軍兵轡を並へ鬨を作り責寄せ候故斉木叶はすとや思ひけん夜中窃に城中を忍出で角井広大寺に掛け入り腹掻切て失にけり、」

（注）「角井」とは、球磨郡錦町一武覚井地区。

戦いの初日は快晴。戦が行われていなかったならば、ひがな一日野外で昼寝をするのにうってつけだった。斉木地頭館と麓の屋敷の大半は焼け落ちてしまったが、城内の櫓や館から火の手は上がることはなかった。

天候が一転した。日が暮れていくとともに、雨が降り出し始めた。夜中には本降りとなった。

「風邪を引くなよ。激しい雨音に物音はかき消されてしまう。雨音に乗じた敵の夜襲があるやもしれぬ」と伝令の者が各所で檄を飛ばしていた。

「太郎の雨乞いは効果てきめんバイ」

但馬守は天を仰ぎながら、満面の笑みをたたえていた太郎の顔を思い出していた。

自分の発した命令が家臣たちにより城内に響き渡る声を聞きながら、但馬守は件《くだん》の妙策を実行に移さねばならないと悟った。

（夜陰と激雨を味方につけて、一武城へと向かうほかなか——永富宗家惣領としてではなく、兄として、たい）

この雨は、一時的なものなのか、それともこの激しさのまま降り続けるのか、但馬守は判断できなかった。すぐに太郎に天気の行方を確かめたかった。だがすぐに、居場所がはっきりせんことが太郎のよさだったな、と苦笑した。

そのころ、搦め手館に詰めていたあき姫は、自ら表門で薙刀の柄を土の上に突き刺し、周囲の警戒に当たっていた。雨足が増し、篝火の勢いが弱まってきた。これに反して闇の濃さが増してきた。父但馬守と同じようにあき姫の脳裏にも、雨音を聞きながら太郎の笑い顔が闇を背景に浮かび上がっていた。

猫も――ものぐさ太郎のように――いつも安穏としていて、寒い日に抱いて寝るとき以外は役に立っていないようにみえるものだが、収穫した米や大切な文書や着物をネズミから守ってくれている。猫行動が活発になるのは日が落ちてからだ。人間と比べずっと小さく、言葉も話さない畜生だが、自分の体の何倍も瞬時に飛び上がることができる。高いところから怪我せず着地もできる。暗がりで目もよく見える。鼻も良く効く。わずかな音さえ聞き逃さない耳を持つ。音を立てずに歩くこともできる。動きも俊敏。身体も柔軟だ――猫の身体の能力は人間とは比べ物にならないほど優れている。

「……羨ましか器量たい」

激しい雨が降り続くなか、松明で自分の周りは明るかった。しかしその先には暗闇が広がっていた。この漆黒を見つめながら猫好きのあき姫はさまざまな思いを巡らせていた。

父実重の弟にあたる出羽守長名、その子右馬頭長祐が籠る七地城落ちる——この一報が斉木城に飛び込んできた。

七地の城は斉木城と違い堅固さを誇っていたわけではなく、人吉庄と中球磨の境にあたる七地久保の辻において川と陸の往還や交易の要衝、球磨川の水運を押さえる目的で、球磨川流域を眼下に一望できる小高い独立した丘陵に構えられていた。

自ら槍を持ち敵を靡かせ、侍大将としては敵の異変に素早く気づき味方の軍勢を巧みに動かすことで比隣に隠なしと評された叔父永冨出羽守長名が城主だったにもかかわらず、開戦初日に当城が落ちてしまうことは但馬守にとって夢にも不知だった。

この一報を聞いた但馬守は、自ら夜陰に乗じ、城を抜け出し一武城に行く——この奇手を放つことにした。その目的は後詰め要請ではなく、一武城主米冨太郎三郎頼照に面会し、弟長続側との和議の仲裁を直接依頼するためだった。ただし、但馬守は総攻めが開始される夜明けまでに斉木城へと帰還していなければならなかった。

「わが方《ほう》（永冨宗家）が勝利を収めたとしても、自軍、長続勢双方かなりの犠牲を伴う。弱体化した状況に付け込まれ、他国から攻め入られ、人吉球磨は乗っ取られてしまうのが目に見えとる。讒言勢力の操人形となって自らをまったく律することができなくなった現在の長続に対してなにひとつ期待はできぬ。だからこそ儂は兄そして永冨惣領として仲裁策を至急講じる必要がある」

夫人、嫡男頼清、あきそして祖父、父、自分という三人の当主に仕えた武将最古参の直臣であり侍大将である永冨藤四郎頼宇――四人に伝えた。

「儂が帰城するまでの間、守りをよろしく頼む」

「かしこまりました」

「拙者が抜け道の先まで御供致します。その地より一武城までは、嫡男頼宏に同行をお申しつけくださいませ」侍大将である藤四郎頼宇が答えた。

「よし、任せたばい」


但馬守は侍大将の頼宇に昔話をしはじめた。

「儂が初陣の際、いずれは城主となり、永冨惣領になる御身。よって武勇を知らしめようと深追いなどなさらぬように、とお主はずっと脇を固めてくれとったな」

「そぎゃん事が御座いましたかな……」

「あのときは話せなかったが、儂の身体が震えているのがお主にはわかっているのではないかとずっと気にしとったぞ。身体にどぎゃん力を入れても震えは止まらんかった。力を込めるほど、震えは増してしもうていた」

「あれから戦は幾度も起こりましたが、ここ数年永冨山田荘は平穏な暮らしが続いておりました。そして、こん戦が起こってしまいました」

「まことに申し訳なかばい。身内での戦になってしもうた――」

鎧兜に身を固めた但馬守は、抜け道へと向かう途中、次男次郎丸と次女しずの寝所に立ち寄り、身をかがめて寝顔を見つめた。

「よし」

自らを奮い立たせる小さな掛け声をかけ再び立ち上がった。


城の搦め手口に設けられた抜け道へと先を急ぐ但馬守、侍大将頼宇、頼宏三人に緊張が走った。彼らの行く手に何かが——しかも複数——光った。

「こらいかん。搦め手を守る四人は討ち取られ、すでに敵は二重土塁を越えて侵入しておっとか」

そのとき「にゃあ」という鳴き声が三人に聞こえた。近づくと、いつも表門の上にいる猫とその子供二匹が行儀よく前脚をそろえて座っていた。

猫たちは、ときどき餌をあげていた但馬守たちのことを分かっていた。平素は大手に居る猫たちだったが、今宵は異変を感じて、城裏の一所に移り隠れているようだった。敵の主力がどこから攻めて来るのかについても知っているように三人には思えた。

「夜明け前にはよき知らせを携え必ず戻ってくるけん。搦め手で出迎えてくれよ」

但馬守は親猫の頭を撫ぜ挨拶した。

もうひとつ昔話に花が咲いた。

「館の堀に青く灰色の人の姿が見えて身構えたことがあったな。そのすぐあと、でかい鳥がいきなり羽を広げ飛び立ち、ふたりとも腰を抜かした」

「ああ、ございました、ございました。アオサギは大きい薄く青みがかった灰色の羽をもつ鳥でございますので、拙者も水面に人が立っているように見えました。堀をねぐらにしている水鳥は、館に近づく不審者を知らせてくれるので、ありがたい存在ではありますが……」

夏、河川の様に流れは早くない館の水堀は子供たちの格好の遊び場となる。しかし総攻めの後、堀の水は血の色に染まり、敵味方問わず多数の死体が浮かんでいる光景が二人の脳裏に過っていた。


「ヒュッ、ヒュッヒュッ」

但馬守は、短く鋭い口笛を吹き、搦め手口の物見櫓に近づいていった。

「殿！　なぜこちらへ」

「お主らにこの要地の守りを任せておいて、つくづくよかった。長続軍勢の数は予想以上に多かばい。叔父たちが守る七地城も一日にして落ちてしもうた。敵は頭数だけではなく士気も高かごたる。そこで儂は、家督を嫡子頼幸殿に譲り、隠居されている米冨頼照殿が居られる一武城に向かうことにする。……願わくは、（球磨川対岸の泉田の）米冨殿の館にも参りたいのだが、対岸には渡れぬ。館は長続勢に取り囲まれ、頼幸殿は身動きがまったくとれぬ」

「米冨一族の方々に援軍を求めるためでございますか」

「否、弟長続との仲裁を頼むためたい。後詰の要請は考えてはおらぬ。米冨家の御立場もおありだ。しかし、そのお立場こそが仲裁には役に立つものと考えておる。――米冨家と永冨家との間には、かつて名田が隣接していた名主仲間という強い絆がある。米冨家は中田城主頼藤の出身一族であるのはもちろん、長続の妻の母親繁殿の出身一族でもある。さらには、相良長頼公七男の方を養子として迎え入れ、相良一族の庶家となった経緯がある。よって米冨家は、旧主相良堯頼殿恩顧の残存勢力との関係も深か一族ばい。――城を枕に華々しく皆で討死するのは武士《もののふ》の誉れであるばってん、一所懸命の地、墳墓の地である此処永冨山田（荘）のため皆で生き抜くことこそ価値がある。とりわけ、この戦さの相手は、斉木の城と館で一緒に育った実の弟たい。こちらに謀反の意思は全くなかことは、血の通った兄弟同士話せば分かる。総攻めが始まる夜明けまで時は残されとる。儂自ら一武の城へと訪れたならば、米冨殿もかならずや仲裁に奔走して頂けるにちがいなか」

「殿が帰城されるまで、四名で此処を守り抜いております」

「夜明けまでには必ず戻る」

搦め手口の物見櫓に陣取る家臣に事情を伝えた後、三人は草木が生い茂る九十九折《つづらおり》の抜け道を下りていった。抜け道は終わり、城の東側の平地へと出た。其処で但馬守は侍大将の頼宇と別れることにした。

「頼宏、殿の足手まといになるではなかぞ」

頼宇は息子を叱咤激励した。そして但馬守に向かって深々とお辞儀をした。

但馬守と帯同する頼宏はそれぞれ、愛馬を引きながら、あぜ道を抜け、斉木城搦め手口と一武へと続く「球磨往還」を結ぶ道へと出た。但馬守は「敦《あつ》」、頼宏は「文《あや》」と名のついた愛馬に騎乗した。

其処から二人は馬で駆けていくことにした。この一武へと続く往還は、そのまま横地峠を越え、隣国日向へと続く、古より重要な道であってきた。ただ、斉木からその往還道に合流するまでは隘路だった。

此処一帯は鳩胸川沿いのため靄《もや》で辺りは煙っていた。靄のほか、夜陰と降りしきる雨——頼もしい三軍が馳せ参じてくれた、と二人は自身らの武運の強さを噛みしめていた。馬のわずかな嘶きや鎧の各部位が擦れる音を心配することさえ無用なほど雨音は激しかった。月夜だったならば、月明かりを受けた甲冑が黄金のように光り輝いてしまい、まったく不要といえる武威を周囲に誇示してしまっていただろう。

但馬守は前を往く頼宏の後姿を見ながらそう感じていた。だが同時に、先ほど搦め手口の物見櫓を守る家臣らに対し、

「こちらに謀反の意思は全くないことは、血の通った兄弟同士話せば分かる」と力づよく述べたにもかかわらず、心中では迷いが生じてしまっていた。

「異母腹ではない実の兄弟だったからこそ、意地を張りあい、鉾先ば収めることができんとかもしれん……」

太郎

一武へと続く往還まであと少しの地点で、突如、但馬守と頼宏は伏兵に取り巻かれてしまった。その者たちは朝方から始まる総攻めのため、中田城へと向かう途中、着到前の最後の休息をとっていた長続側の上球磨国人衆だった。

但馬守は敵の気勢を削ごうと大声で名乗りを挙げようとした。すると妙な匂いが但馬守の鼻孔をくすぐった。右手後方の「カマンクド」の岩上から敵兵に向かって矢が飛んできた。間髪入れず、二本目の矢音とともに、

「我こそが永富の惣領、但馬守頼重なり」甲高い声が雨音にかき消されることなく闇夜に響き渡った。

敵衆は皆、声が飛んできた方角を向き、半分以上の兵がいっせいにその方向へと駆けだした。その跡を騎馬武者二名が追っていった。この声によって、但馬守は敵兵に取り囲まれるのを免れた。

「あの甲高い声は太郎にちがいなか。恩に着る」

頼宏は「この騒動が麓の西に陣を張る敵の主力に届いてしまうのを避けねばなりません。わたくしが此処で軍殿として一人踏みとどまり一兵たりとも先には通しません。殿は急ぎ一武の城へと向かわれてください。では」と述べ、槍を水平に構え、右の脇でその槍の柄をしっかりと挟んだ。右

手首を使いながら、槍全体を左に絞ると、

「永冨但馬守、家臣永冨頼宏がお相手致す」

と、名乗りを挙げた。

「おりゃあああ」

自身に喝を入れる声とともに、対峙する騎馬武者へと突進していった。

敵将は、但馬守と頼宏が気づかぬうちに、二人を取り囲んでしまうほどの智謀に秀で、武辺堅き者とはいえ、この頼宏の突進に馬ともどもたじろぎ、道脇の草むらに落馬してしまった。頼宏はあらん限りの大声を発し、槍を振り回しながら、残りの従卒らを道脇へと押しこめた。その隙をついて、但馬守は一武へと駆け抜けていくことができた。

但馬守は、往還道に入る手前で、いったん愛馬敦の歩みをとめさせた。来た道を振り返ってみた。打ち降り注ぐ雨音に混じり、家臣頼宏の威勢が届いてきた。頼宏が後から追いついてくれることを祈りながら、斉木の城とカマノクドの方角にそれぞれ一礼をなし、一武の城へと道を急ぐことにした。

但馬守は一武城を目指して、単騎で駆け抜けていく
この雨が降っていないならば、新月に近い月の形だったのだろう
目立つ葦毛ではなく、黒鹿毛でよかった、よかった

微かにそよぐ風を感じる
なぜだか、まだ咲いてもいない桜の花の香りがしてくる
鳩胸川の蛍が放つ光とその舞い
虫の音も聞こえないが、昨年の観月の宴の記憶が蘇る
ざくざくと踏みしめ歩いた凍った径
桜が咲くのはもうすぐだが、その下で皆と集えるだろうか

鎧に浸みこんだ雨の重さが但馬守を現実に引き戻した。

灯りはまったくない夜中、道はぬかるみ、繁雨が前方の視界を遮っていた。但馬守は初めて馬に乗ったときの思い出がよみがえった。手綱を握った父の前に座りながら、振り返り見上げた際に見えた父治部少輔實重の顎髭の記憶がまざまざと思い出された。

（いつ落馬してもおかしくなか悪路たい）

但馬守は自分自身に言い聞かせ、手綱を握り直した。

「こぎゃん道ば走らせて済まぬ。一武の城はもうすぐ。頼むぞ」と、愛馬の敦《あつ》を励ました。

一武麓の城戸を守る兵の一人が武将に報告した。

「人吉方面から、こちらへと馬が近づいてくるように見えますが……」

滝のごとく激しく降る雨で見通しが利かないなか、将兵らは雨を遮るために額に手をかざし、前方に目を凝らしていた。しかし、ちらちらと黒い影が上下に動き、蒸気らしきものが立ち昇っているとしか確認できなかった。

すると望楼に詰めている兵が、「馬です、馬です。馬が一頭。甲冑を着けた者が騎乗しております」と叫んだ。

「一体何者か。はよ、陣ば固めろ！　素性が分かり次第、城への報告をなす。その準備もしておけ」と、号令が響き渡った。

やがて、正体不明の単騎の武者は一武麓の木戸を固める者たちの少し手前で馬を停止させた。

「うわあああ、でたぞ。落ち武者の亡霊ばい」

兵の一人が慄きの声を発した。それに呼応して、他の兵も皆、後ろへと後ずさりした。数名の者はあまりの恐怖に槍を持ったまま呆然と立ちつくしていた。

皆がたじろいだのは当然といえた。

但馬守の全身震えが止まらず、顔面は蒼白そのもの、とりわけ唇は色味を失い、土色になっていたからだ。生死の境を彷徨《さまよ》う幽鬼の姿といえた。実際、但馬守は意識を失いかけていた。前脚を上げ、体全体から凄まじい湯気を発散させながら馬が嘶いた声で、但馬守は我に返った。将兵たちも落ち着きを取り戻しつつあった。

但馬守は名乗りをあげ始めた

「そっ、そっ、某《それがし》……、な、な、永冨……、な……」

口が言うことを利かなかった。

但馬守は、両手で頬と唇を何度も摩った。

「拙者、永冨但馬……なが、なが……」

やはり、呂律が回らない。

そこで、但馬守は右手で冑の紋を指さし、口を大きくゆっくりと動かした。

(ま・る・の・う・ち・ざ・く・ら)

この口の動きを一武の将士たちが真似しながら、それぞれがゆっくりと声に出してみた。

「ま・る・の・う・ち・ざ・く・ら」

すると武将の一人が気づいた。

「丸の内櫻といえば、永冨(宗家)一族の家紋たい。ばってん戦の最中のはずたい」

但馬守は頷きながら、太刀と脇差の柄をそれぞれ指《ゆび》さした。

「白い柄ではござらぬか——。えっ、永冨の当主の方でござっとか」

その武将は驚きの声を上げた。

但馬守は、力の限りを振り絞り、その力を口元に集中させた。

「永冨宗家惣領斉木城主永冨但馬守頼重なり。一武城主米冨太郎三郎頼照殿にお会いしたく、罷り越した」そう言い終えると、上下の歯をガチガチと音をさせながら微笑んだ。

「あるだけの湯をすぐに持って参れ」

「かっ、かっ、たじけぇなひぃ――」

但馬守は震える声でやっと礼を述べることができた。

焚火の前で、桶ごと運ばれてきた湯に但馬守は両脚と両腕を浸した。そして顔をじっと湧き上がる湯気にさらし続けた。こうして但馬守の震えは収まり、ようやく生気を取り戻すことができた。

「なぜ、一武の城へ。まして供周りもなく、お一人で――。現在、御城は貴公の弟にあたられる左近将監様率いる軍勢に取り巻かれ、戦いの真っただ中のはず。明朝にも総攻めと伝え聞いております。だからこそ、某共《それがしども》は夜を徹し人吉と上球磨の往還を警戒しているのでございます」

「米冨（頼照）殿に仲裁を頼みに参った。従者と二人で斉木の城を出立したばってん、早々に、カマノクドの先で敵と遭遇してしもた。いまだ追っ手は見えんから、従者は軍殿として一人踏みとどまり追撃を防いでくれたに違いなか――」

面会

一武城主米冨太郎三郎頼照は書院で、平服のまま目を閉じ横になっていた。

行燈の灯が揺らめいた。

「申し上げます。殿、甲冑姿の永冨但馬守様が、お一人で、麓にお越しです」

「いま、一人で、と申したか」

「はい。但馬守様御自ら、でございます」

「すぐに上座敷へとお通ししろ」頼照はこう伝えるや否や、立ち上がり、髪に櫛を入れ、腰紐をしっかりと結び直した。軽く息を吸うと同時に脇差を左腰に帯びた。

「昨夜から雨空のまま。星ひとつ瞬かんたい」

書院の障子を開け、天候を確かめるために夜空を見上げた頼照は心のなかで呟き、広間へと続く廊下を歩きはじめた。


但馬守は、一武麓の城戸で湯を頂戴した後、一武城に向かい、虎口前で下馬した。そこから本殿まで、米冨の家臣に先導されながら小走りで駆けたため、もう寒さは感じなくなり、反対に暑さを全身に感じるようになっていた。手ぬぐいで何度拭っても、額に汗が浮き出た。汗は頬を伝い顎下から垂れ続けていた。但馬守の周りの板敷は甲冑から滴り続けた雨水で、水たまりができていた。

豪雨を駆け抜けて来たにもかかわらず、但馬守の左手に抱えられた兜の顎紐は、浴びた返り血としみ込んだ汗、拭った泥で全体がどす赤黒くなっていた。

広間に入った頼照だったが、そのまま上座には着かず、まず客座でまだ肩で息を切らしている但馬守の濡れた手を取った。

「無事にお目にかかることができました。自城は敵衆に取り巻かれ、危急にもかかわらず、自ら此処へと来られた御理由はよう分かっとります」

「頼照殿、まことにかたじけなか。この戦の原因は我々兄弟の確執にありますけん。ばってん、当事者であるわれわれにはそのような諍いの感情はそもそもなかとです。弟長続の取り巻き連中のなした讒言よって作り出されたものです。だけん、兄として弟のなした過ちを背負い、こうして単身で参りました」

先日の但馬守から頼照宛ての書状は、斉木館を出立した使者によって、その日の昼前には一武城の頼照のもとに届けられていた。翌朝、返書を携えた米富の使者は斉木城へと出立した。だがその使者は、その日のうちに戻って来なかった。そのまま日は暮れ、翌日も、その翌日も……使者の行方は分からないまま、今日を迎えていた。

使者が帰ってこない状況から判断して、只ならぬ事態が進行している、と頼照たちは感じ始めていた。その数日後、泉田の米冨館の緩急を伝える一報が一武城の頼照の元に届いた。

「長続を支持する人吉庄北方に位置する山田村の国人勢力に館を取り巻かれ、その外へ一歩も出ることさえ叶わぬ状況に陥っている」と記されていた。

「但馬守殿の事情は重々お察し申す――」

だが、米冨頼照の言葉はそれ以上続かなかった。

頼照の胸の内を推し量った但馬守は、

「辻郷の湧き水で、ともに遊んでいた頃がなんさま懐かしかですなあ」と、頼照は笑みをたたえながら、昔話をしはじめた。

「あの頃は……左近将監殿はいつも御一緒でしたな」

「往時と湧水の量は変わらんばってん、時勢は大きく変わりました――」

すると、一乗寺の大蟲和尚が目を血走らせ座敷へと駆け込んできた。普段のゆっくりとした所作から想像できない、両肩をいからせながら、大股での速い歩き方だった。表座敷の下座の隅に控えていた家臣も、見慣れていたにもかかわらず、一乗寺の大蟲和尚とは気づかず、見知らぬ袈裟を着た男と勘違いしてしまっていた。和尚の形相から殺気すら感じ、横に置いていた太刀に左手を思わず動かしてしまったほどだった。

大蟲和尚の禿頭からは湯気が立ち上り、顔は七十歳とは思えない血色のよさであった。

「大蟲和尚殿、北薩の旧主堯頼殿を慕い続ける者たちへの書状の件、たいへんお世話になりました」

「否、加勢を得ることはできず、まことに申し訳なかったと思っております。わが力不足でした」

「いいえ、いっさいの非は、弟と讒言勢力に存します。今回、われら永冨宗家一族が負け申したならば、それは偶々《たまたま》のことですたい。そぎゃんなった場合には、せめて、わが一族の事績を後世に正しく伝えていただけませぬか」

但馬守は絞り出すような声で依頼をなした。

夜中にもかかわらず、白湯とともに強飯の膳が出された。但馬守はその夜食を掻きこんだ。

「米冨殿、この金《きん》でできた飾りは、昨夜娘のしずに渡すはずだったものですが、ぐっすりと寝ていたため渡せずじまいでした。顔を近づけようとすると涙がしずの頬へと落ちました。それでも、しずはぐっすりと眠り続けていました。枕元に置こうとも思ったのですが、直接話しながら渡したかったもので――。そこで米冨殿にお預けしたく思っております。今回の騒動が落ち着きましたら、米冨殿からしずに渡して頂けませぬか」

「……いいや。その機会は必ず……。ご自身でお渡しくだされ」

「我が身に万が一のことが起こった場合のためでございます」

「……では、あくまで万が一の場合のために、承知しましたばい。その際は必ず、しず殿に貴殿がいま語られた想いとともにお渡し致します」

頼照も目を真っ赤にしながら返答した。

朝もやの中、虎口の手前にて、但馬守は米冨頼照と大蟲和尚に無言で深礼をなした。二人は――

単身でやって来て、そして独りで去っていく——硬骨の士《さむらい》の後姿を見送った。表門を左に折れ虎口を出た但馬守は愛馬敦に跨った。一度も振り返ることもなく麓まで続くなだらかな坂を下っていった。頼照、大蟲ともに、口には出さずとも、この士《さむらい》の後姿を見るのはこれで最期だと確信していた。

但馬守の耳に、米冨の者たちが固めている麓の出入り口方面から、罵り合う声などは聞こえてこなかった。家臣頼宏の軍殿の働きによって、敵は追撃しては来ていない、と判断した。

夜明けとともに、斉木の城への総攻撃が始まる。それまでには帰城しておかねばならない。しかし、空が薄明になるにしたがい当然敵に発見されやすくなる。豪雨も収まり、小降りとなっていた。

「一戦交えたあと、腹ば掻っ捌くことにするか」

そう覚悟を決めた但馬守は斉木城へと単騎で戻りはじめた。米冨一族の方々に迷惑をかけぬように一武村を一刻も早く出ておかねばならないとの配慮もあった。

但馬守は一武麓を抜け、球磨往還に出た後、斎木城へと愛馬敦を走らせていた。が、すぐに中田城を東から攻撃する兵から見つかった。

「あっ。あいつは斉木の城主、永冨宗家の惣領、永冨但馬にまちがいなか」

「嘘を申すな。斉木の城は取り巻かれ、城主が城外へ出ることはできぬ」

「否、あの丸の内櫻の前立ての兜は永冨但馬に間違いなか。館の広間の床に飾ってあったのを覚えておる」

「永冨但馬かどうかはさておき、こぎゃん刻に、ここ一武の地で、単騎で兜まで被り馬に乗っている者は十分に怪しすぎるばい」

一刻を争う窮地に追い込まれながらも、但馬守は形勢を冷静に見極めようとしていた。

「こちらは一騎。遭遇した敵は総勢二十名。うち騎馬武者は五名。すでに徒士らは、弓を引いておる。陣形も横にじわじわと広がりつつ、こちらへと詰め寄っている。思案している猶予はなか。万に一つも突破は難しかごたる……。家の存続を図るとともに、加軍を得るため、いったん妻まさの実家である上村城をめざし、上球磨方面へと向かうべきか。畢竟の愛馬ではあるが、逃げ切れるのか……。敵に後ろを見せるのは武門の名折れ千万、と数えきれぬほど教えられてきたではないか。では、兵《つわもの》としてはあくまで敵中を突破し、自城（斉木城）を目指すべきか。が、多勢無勢はいかんともしがたし……。我が首を敵に取られてしまい、斎木城の表門に晒されてしまっては、総攻めの前に負けは必定。それでは命を懸けて、斉木・七地・漆田・斉木奥水無の地を守り続けてきた先祖にも申し訳が立たぬ——もっとも避けねばならないことたい。では自害すべきか、しかしどこで……。敵にすぐに見つかっては無意味。自刃後、自分で自身の首を土中に埋めることはできんたい——」

独り言ちた後、思わず但馬守は笑みを漏らした。

「ヒュッ。ヒュッ、ヒュッ」

矢風が聞こえた。直後、数本の矢が思案する但馬守に向かって飛んできた。一本の矢が馬の胴体をかすめた際、馬が嘶いた。

但馬守は「敦、いくぞ」と激を発し、鐙の手綱を力の限り引き、追っ手が迫りくる反対の方角にあたる一武城麓を再び目指し駆けだした。

「無念、斉木城へと戻ることはもう叶わぬ。いまだに頼宏の姿が見えないということは、討ち取られてしまったと考えるしかなか」

しばらく駆けた後、但馬守は来た道を振り返った。追っ手は見えなかった。

「敦よ、大儀」

駿馬「敦」のおかげで敵を振り切ることができた。

但馬守は、一武麓の東域、覚井集落に建つ「広大寺」を思い出した。すると、背後から複数の聞き覚えのある声が聞こえてきた。

「自刃するくらいならば、田畑ば耕せ。どぎゃんしても自害ばしたかとならば、肥やしとなるように田畑の上で、そうせよ。これが名主道《みょうしゅ》たい、小さき頃からそう教えられてきたたい。お主も同じことば永富山田荘の者たちに説いてきたたい。この教えに反してもよかとか」

「ばってん、もうどぎゃんもこぎゃんもしようがなかばい」

但馬守は広大寺の祠で自害をする覚悟を決めた。一武麓の木戸に着くや、すぐさま陣取る米富勢に最期の頼みをした。

「馬上から失礼致す。無念千万、自城に帰る途中、多勢の敵と遭遇してしもうた。衆寡敵せずなり。ただ米富の方々に加勢をお頼み申し上げるのは迷惑が掛かります。お味方は一切不要。されど、自害すべく広大寺の祠にたどり着くまでの一刻と自害後しばらくは首を敵に取られぬように、此処で敵兵ば食い止めてはいただけませぬか。愛馬のおかげでどうにか振り切ることができているにすぎませぬ。敵はすぐ先まで迫ってきております。お頼み申す」

「承知いたしました」

「収三よ、いそぎ城に居られる殿に知らせよ」

「巳雄作は、広大寺の住職殿にこの状況を伝えよ」

「多勢の敵では、この木戸の脇では容易く打ち破られてしまうかもしれぬ。ここより先にもうひとつ陣を構えるぞ。半分は儂に続け！」

——但馬守は、愛馬敦のたてがみを撫ぜた。そこはまだ濡れていた。

前方に、ゆるやかな上り坂が東へと続いている。坂下には、小さな川が北から南へと流れている。

「矢傷は大したことはなかごたるが、さすがに疲れたであろう。さあ、水を好きなだけ飲め」

但馬守はやさしく言葉をかけつつ愛馬から下りた。やってきた道を振り返り、そのまま西方の春霞の空を見上げた。

「敦よ、世話になったたな。この地で可愛がられて暮らせよ」

但馬守はこれまでの労をねぎらい、脱いだ冑を道脇の木に掛けた。

それから、馬が小川へと下りていく愛馬の姿、正面の丘、その丘の左手から前の地を抜けていく上り坂に視線を移していった。

「あの道の先が広大寺の祠――」

そのまま鳥のさえずりと小川の流れる音を聞きながら、丘へと続く道を歩き始めた。

永冨但馬守頼重は、西の空を見上げた。奴の顔が思い浮かんだ。頼清、あき、しず、次郎丸、妻のまさ、他の一族郎党の者、永冨荘――斉木、七地、中田、斉木奥水無――の者たち、弟相良長続いずれの者でもなかった。それはものぐさ太郎の顔だった。

以前、但馬守はものぐさ太郎に「生まれ変わるとすれば、お主は何になりたかか。それともふたたび人間として生まれ、斉木の地で同じ生活がよかか」と尋ねたことがあった。

「くもでございます」太郎は即答した。但馬守の脳裏には、蜘蛛の巣があちこちに張っている太郎の屋敷の様子が浮んでしまい、怪訝な顔をなした。太郎は(主君)但馬守が勘違いしていることに気づき、十指を動かし蜘蛛の脚の動きを真似しながら、「あっ蜘蛛ではなく……」と太郎は笑って言い直した。さらに、真上を指さしながら、「浮いている……雲のほうでございます」と答えた。

どういう風の吹きまわしだったのだろうか。いつもとは違い、そのときの太郎は雄弁だった。

「人間はもちろん、虫・動物の類は、しがらみ、つきあい、縄張りを守るなど、なんだかんだと大変でございます。かといって、お地蔵さんなどの静物は退屈でしょう。楽しかことはいっちょんなかかもしれませんが、怒りも悲しみもなかでしょう。私は鋭く長く内側に巻いている牙も爪もいりません。風に吹かれるまま空を浮いていたかとです」と述べ、傍らで一文字に身体を伸ばし安穏に眠り続けている猫に視線を移した。

会話を続けているうちに、西の空に見えていた雲が大きな入道雲へと形を変えていた。――或る夏の午後、太郎の屋敷前の道端でのやり取りだった。

かような生き方をしている者でも、しがらみ・つきあいの煩わしさを覚えているのだな、と但馬守は意外に感じた。

斉木の地とそこに暮らす苦楽を共にしてきた家族、仲間のために最期まで闘うべき者
城から脱出し、生き残るべき者
そして、戦いを止めさせるために奔走すべき者
ひとりひとりが一所懸命、為すべきことを為せたであろうか

但馬守はそう願いながら、祠の床に腰を下ろした。

再び、先ほどの声が西側から聞こえてきた。

「自刃するくらいならば、田畑ば耕せ。どぎゃんしても自害ばしたかとならば、肥やしとなるように田畑の上で、そうせよ。これが名主道《みょうしゅ》たい、小さき頃からそう教えられてきたたい。お主も同じことば永富山田荘の者たちに説いてきたたい。この教えに反してもよかとか」

但馬守は両手で両耳を塞ぎ、首を横に振るしかなかった。

「亡き父や先祖の遺訓に反した行いを為した覚えなどいっちょんなかとに……。内訌を避くるための策もできるかぎりのことは行った。戦略、戦法に不覚があったとも思えん。斉木の仲間を犠牲にし、己だけがよか思いをしたかと欲したことも、永冨宗家の利益だけを考えてきたわけでも決してなかったばい。儂自身も村の者も、無用な争いを招くような軽々敷き言動をとったこともなかったはず。まさか、伝え聞いとらん先祖がなした非道な所業の報いなのか……。事績は残っておらんだけで、当家に恨みを残したまま滅んでいった一族の報いを子孫であり永冨惣領である拙者が受けることになってしもうたとか……。いや、怨恨の類ではなく、己について永冨惣領としての器量の無さが招いた禍なのか……、反対に器量ば妬まれたとか……。弟であり相良惣領の長続が牛屎院滞陣のため留守が続く中、讒言勢力に付け込まれるという不運が重なってしもうた。……いまさらあれこれ思案しても仕方はなか。ばってん、**なしゅ、こぎゃんこつに、なってしもうたとか――**」

蝮

『南藤蔓綿録』は次のように記す。

「其外相残一家主従城に火を掛け焔の中に飛入り死するもあり、又髪を斬り腰刀を抛出し鳩峰川に飛入り死するもあり、」

斉木城の三の曲輪はすでに落ちた。二の曲輪と三の曲輪の間は敵兵により分断されている。二の曲輪に籠る兵は、一の曲輪、搦め手、東南に建つ中田城へと加勢に行くことはできず、当曲輪東端に追い詰められていた。

二の曲輪で徹底抗戦を続ける兵の一人が口を開いた。

「秘密しておったのだが、麓の的場で決起をなした後、此処に籠るべく向かっていた途中、曲輪入口の手前でなんさま大きか蝮が横たわっとった。たいていの蝮は人が近づくにつれ、大きくなる足音の振動で藪の中に逃げ去ってしまうものだが、件の蝮は動く気配がなかった。槍を構えながら恐る恐る近づいてみたところ、蝮は死んどった。神殿に掛けられる綱のような胴体の太さに驚いてしもうた。同時にこの蝮こそが此の城の守り神だったにちがいなかと確信してしもうたばい。その蝮様が亡くなられたということは……」

この話を聞いた兵が、

「おぬしが言うとおりばい。今日の落城を暗示しとったったい」と言うと、宙を一瞬見つめ、二の曲輪への総攻めの命が下るのをいまかいまかと待ち続ける兵が陣を構える三の曲輪跡に視線を戻した。

生き残るべき者たちは親類縁者の手によって、城から下ることができていた。斉木の地とそこに暮らす家族、仲間のために最期まで闘うべき者についても、其々が一所懸命、為すべきことを為した、と二の曲輪の兵たちは納得していた。

二の曲輪を守り抜くことに専念し続けていた者たちは、主君但馬守がとった夜更けからの行動に関しては知らなかった。城内であっても、伝令を通じて情報を共有できる戦況ではなかった。

「粉骨無比類、槍刀の刃は欠け、弓も折れ、矢種も尽き果てたとは、まさに、いまの我々のことたい。城を捨て敵に下る者は一兵たりともいなかったのが誇りばい」

二の曲輪の大将永冨長裕が述べた。この言葉をきっかけに、無言が続いていた二の曲輪の者たちが会話をし始めた。各々が最期の会話になるだろうと感じていた。

「ごもっとも。皆、随分と働きました」

「槍刀なくして、皆で敵陣の真ん中に斬りこんでは行けぬ」

「自刃しようにも刃が折れてしまって、それも叶わぬ」

「この砥石で、今から研ぎ始めるか」

「砥石を引き抜いた木柵の先に括り付け、敵中へと突入し、敵の頭ば叩き割る戦法はどぎゃんか」

冗談が飛び交い、笑いが起こっていた。

「今日は、二の丸の掘立小屋が御殿のように輝いて見えるばい。お天道様はすでに南たい」

「敵ではなく、我々の手で城に火を掛けんといかん――」

永冨長裕が言葉を漏らした。

「拙者にその大役を任せていただけませんでしょうか。二の曲輪の館の手入れしてきましたけん。火を掛けた後は焔の中へと飛び込み、命果てますばい」

「よし、任せた」

「はい」

女たちも男たちの会話に加わってきた。

「私どもの懐刀の刀身は薄く、刃こぼれも激しく、もう使い物になりませぬ。刃こぼれした刀で自害しても、絶命するまで苦しみが増すだけでございます。私たちも崖下の鳩胸川に飛びこむほかなかです」

しばし無言が続いた。

その間、敵兵からの罵詈雑言、家中の擦れる音、掛け声、うめき声・泣き声・叫び声、そして鳩胸川のせせらぎの音、鳥の鳴き声、一切しなかった。

「――もうよかばい」

「ああ……そぎゃんごたる」

「そぎゃん、そぎゃん」

「無念千万の思いのまま、闇闇と相果てるわけでもなか。皆死力は尽くし、十分戦った。此処一所懸命の地「斉木」を守り抜いてきた先祖にも顔向けはできるばい」

「二の曲輪から、よう中田城が遠望できる。斉木の地と村人に恵みをもたらし続けてくれた鳩胸川に還るわけたい」

「……まだ出雲守（頼藤）様たちは、一所懸命に守り抜かれていらっしゃるごたる、な」

中田の城は、斉木の城と違い、麓と郭内との間には土塁しか築かれていない。また斉木に比べて兵力も半分。斉木奥水無名主館は陥落し、斉木城との行き来も分断されていた。

「わが天晴《あっぱれ》な最期をご覧ください」

兵の一人が叫んだ後、一の曲輪方面を一瞬だけ振り返り、そのまま崖下へ飛び込んだ。この者に続いて、斉木神社の祭祀に用いられてきたほど貴重な皿だったが、敵の手に渡るくらいならばと、叩き割った割り口で喉を掻っ切った女が頭から崖下へと落ちていった。習わし通り、女は両脚をひもで縛っていた。

永冨宗家のほとんどの者は、城攻めの経験は有していた。しかし自城を守った経験がある者はいなかった。攻め入って来る敵がなかった証であるから誇るべきことだったが、これが今回の戦における永冨宗家勢力の最大かつ唯一の弱点といえたかもしれない。


「若か頃、城を守るのは、それを攻めることよりはるかに難しか、と武辺隠れ無き侍と評されていた者が教えてくれた。しかし、その理由を聞く機会はないいまま、その侍は亡くなってしまったばい。聞いておくべきだったかのぉ……」

独り言とともに、二の曲輪の大将永冨長裕は兜をかぶり、堅結びであごひもを結んだ。その重さで落下の勢いが増し、すぐに絶命でき、また亡骸も浮きあがってこないようにするためだった。

永冨長裕は曲輪の周囲にめぐらされている木柵の外側に向かった。その場に立ち、脇差を左頸部と錣《しころ》との間に差し込むと、間を置くことなく、刃をぐいと頸部に押しあて、いっきに手前に引いた――。

かくして麓の各名主館、地頭館、三の曲輪、二の曲輪は落ちた。

三条の煙

「しず、大切な話があるから、こちらへ来て」

「うん」

「これをご覧なさい」

「キラキラ、きれい。ちいさいのに、すっごくすっごくおもたかばい」

「とても重たいのが金という石の特徴たい。とても珍しく貴重な石たい」

それは永冨の家宝のひとつ、――しかしはるか昔、斉木の地で発見され、代々伝わってきた、としか由来は残っていない――涙のしずくのような形をした純金の装飾品だった。大きさから首飾りの一部と思われていた。昨夜あき姫は、父頼重からこの家宝を受け取っていた。

「いまから二人だけで、この石ば茶釜の中に入れ、搦め手の茶室の隅に埋めに行きましょう。私が埋めるけん、その間、しずは誰にも見つからんごつ周りばよーく見張っとって」

「うん、わかったばい」

あき姫の手により重代相伝の茶入、水差、茶杓、柄杓や茶筅といった茶道具類も茶壷に入れられ、土の中に埋められた。

「必ずここに戻って、一緒に掘り出すばい」

「うん」

「……そういえば、お父上はしずにも同じものを渡されるはずだったばってん、ぐっすりと寝ていたから今度会うときに渡すとおっしゃっていたばい」

「おちちうえはどこかにでかけているの……」

あき姫は一武城のある東のほうを指さしながら、不安げに自分を見あげていた妹の耳元でささやいた——。

「そうよ、あちらのほうに……。明日の朝にはかならず戻って来られます。みんなで朝ごはんを食べましょう」

斉木城一の曲輪に詰める奥方たちは、殿の無事を案じ続けていた。その心配は東の空が白み始めるとともに増していた。

「奥方様、お約束の刻となりましたが、殿が一武城より戻って来られませぬ。御供した我が倅《せがれ》も帰って参りませぬ」

「もう、寅の刻か。日が昇るとともに敵は攻め寄せてくる。城の周囲では煮炊きの湯気と煙があちこちから立ち上っておる。腹が減って戦はできぬとは、まさにこの眺めのことなのだな……」

「雌雄を決する一日となります」

「かような一日になってしまうのでしょう。……先程、殿が向かった東の方角に雷雨の気配はないにもかかわらず、一瞬空が光ったように見えました。――ちょうどその時……」

この奥方のつぶやきを聞いた近習たちは――誰一人その閃光は見てはいなかったのだが――それが暗示していた事柄については、皆同じ解釈をしていた。もちろん口に出す者はいなかった。皆、東の空を眺めながら押し黙っていた。

「あの光は……」と、奥方が言いかけたところで、東の方角から弱気という濁流が一気に城中へと流れ込んできた。関が切られてしまったかのように、重臣たちが相次いで腹の底に溜まっていた思いを発した。

「まことに畏れながら……一武城米富様への仲裁依頼、一乗寺大蟲和尚を通した（相良堯頼）旧勢力への加勢依頼――ともに首尾よくいかなかったのでございましょう」

「斉木の城は堅固とはいえ、城主である殿が帰られんままでは勝ち目はなかですばい」

一の曲輪において、誰かが言い出したわけはもなかったが、奥方たちを城の外へと落ち延びさせねばならない、という意見が急速に固まりつつあった。

「昨晩の殿がとられた行動の意味は重々承知しております」

近臣が進言する前に、奥方は落ち延びる決意を表した。この表明を受け、近習の一人が答えた。

「勝ち目は薄くなったといえども、重代相伝の名字の地に建つこの城を枕に討死せねば永富の名折れ。先祖達にも申し訳が立ちませぬ。吾らが、二の曲輪から搦め手へ続く城戸で敵を引き付け、ひと暴れしている間に、奥方様たちは落ち延びてくださいませ。雨が降り出すやもしれませぬ。また夜中はまだ底冷えしますので、市女笠と被衣の支度も急ぎ致します」

さっそく城を脱け出す経路と落去先について評定が始まった。

「態勢を立て直すため最も頼るべき中田の城は、出雲守（頼藤）様らが堅固に守り抜いておられます。なれど中田城の南には大畑勢、東の麓方面、そして青沼の軍勢が北側には陣取り、三方からの猛攻に晒されております。さらには、本城と中田城の間には、斉木奥水無名主館を攻め落とした後、侵入してきた軍勢が陣取り、通ることがきわめて難しか状況でございます」

事実、中田城方面、斉木奥水無の山中、いずれも落ち延びるのは不可能となってしまっていた。

「さらに、中田城南方の大畑城の城主佐無田一族は長続殿の側……」

この戦況報告によって、加久藤から日向真幸院や大隅方面、あるいは大口を通り薩摩菱刈へと南方面に落ち延びていくことは不可能と判断された。

「東方の上球磨および奥球磨の情勢は、上相良一族が滅びたとはいえ、いまも上相良を慕い、長続殿の存在を恨み骨髄に感じている国人勢力の残党があちこちに潜伏しております。我々は長続殿とは敵になったとはいえ、その者らに見つかれば同じ永冨一族と見做されてしまうでしょう」

「御実家である上村の地へ向かうことこそ最善でございます。ばってん、その途中に位置する一武城から殿は未だ帰られておりません」

上球磨、奥球磨へも向かうべきではないと断が下された。

「求麻川北岸は、左近将監殿の嫡男（永冨頼金）が率いる諸勢が陣取っております。泉田の米冨、豊永両勢力につきましてもそれぞれ館を囲まれ、動きばまったく封じられておられます」

川の北岸に渡り、五木への落ち延びも不可能な状況だった。

次の進言によって城脱出経路が決まった。

「七地の城を落とした軍勢は、宿営していた陣から、斉木麓の西北の備へと移っております。よって七地方面にいる敵兵は寡兵と言えます。昨日、虎口で見事な討死を遂げた千太郎の名田を通り、斎木城の北側から七地の大堀に抜け出ることができます。城を抜け出し、日が落ちるまで、河梶取衆の納屋でお隠れ下さい」

「そっがよかばい」

この案に全員が賛同した。否、この案しか残っていなかった。

七地村大堀からは、求麻川のことを知り尽くした河梶取衆の手腕を信じ、川を味方につけ、舟で下流へと落ち延びることにした。

「念を押すが、この城や麓の各館には童や赤子、妊婦は残っておりませぬな。千太郎にも生まれたばかりの赤子がいたはずだが……」

奥方が近習らの目をひとりひとり見すえながら尋ねた。

「ご安心くださいませ。それらの者たちは皆、親族の手引きによりすでに城を下っております。いまは時運拙きに過ぎませぬ。まずは永冨宗家の命脈を絶やさぬことこそ肝要。若子様をお連れになり、よき地にていっときお暮しくださいませ」

斉木の城を枕に討死を決意した者たちが、奥方らに別れの挨拶を手短になしていった。

蔵の奥から、永冨宗家の家宝――剣と鑑――が入れられた木箱が運ばれてきた。皆、それを見つめながら、これから奥方たちは城を落ち延びていくのだと実感していた。

「抜け道の入り口は知っておるな。丑寅の方角、鬼門の方角に位置する、二つ目の堀切から左下へ続く小道たい」

この侍大将永冨藤四郎頼宇の言葉を聞いた家臣二人が、七地へと向かう途中の敵の有無を確認するため、先に斉木の城を出立した。落去していく者は、奥方まさ、次郎丸、あき姫、しず姫、奥方の身の回り役の女性二人、黒木覚右衛門政頼と家臣三人、総勢十名、及びあき姫の白毛の愛猫二匹。

「わたしが大きな病気に罹ってしまったため但馬守様との婚儀を取り止めることを伝えに、この斉木の城へ行ったのが覚右衛門でした。それ以後も節目ごとに傍に居てくれましたな。これからも世話になります」

「奥方様、なにをおっしゃられますか。斉木の土になる覚悟で、永冨山田荘につき従って参りました。ばってん、落ち延びと決したならば、奥方様と若子様が殿に再びお会いするときまで、お守りしていかねばなりませぬ。永冨宗家の血脈を絶やそうと、若君と二人の姫君の命を狙い敵が必ずや追ってまいります」と、政頼は決意を語った。

「覚右衛門、頼りにしています」

「まことに有難きお言葉、かたじけなく存じます」

覚右衛門政頼は、腰入りの際、但馬守から賜った盃だけは手元にとどめておきたいからと懐に入れ、落ち延びることにした。

——但馬守夫人まさは、人吉下相良家の初代相良長続の四男頼村を始祖とする、球磨郡上村を本拠としてきた上村家から永冨家に嫁いできていた。当時、但馬守頼重との婚姻は決まっていたが、戦が続いたため、婚礼が延びていた。その間に、まさはやり病を患い、長く床に伏した状態が続いていた。そのため、まさには内密のまま、黒木覚右衛門政頼が婚姻取りやめを伝える使者として、斉木館を訪れ、但馬守に面会した。

しかし但馬守は政頼に対して、

「はやり病になろうとも、やさしさと笑顔が変わることはなかですばい。某《それがし》はまさ殿の人柄に魅かれ申したのですから結婚致します。このように上村家の方々にはお伝え下さい」と、毅然と言い返した。

但馬守は、はやり病とお聞きしましたが、住む所を変えることで治癒することがあると聞いております。婚礼の儀を急ぎ執り行いたいと思っています、と記された返書を政頼に持たせた――。

しず姫が「あき姫と一緒がよか」と言い、そのままあき姫の胸に顔を埋めてしまった。

万が一のことを考え、姫君は別々に乗船してもらう案を河梶取らは考えていたが、このしず姫の言動によって、奥方と次郎丸、二人の姫、奥方の身の回り役の女性の一人は、河梶取清藤二が操船する「若鮎」、残りの五名は河梶取矢四郎が操船する「川辺《かわべ》」と名のついた舟に分乗することが決まった。

七地村大堀を本拠とする河梶取たちの口癖は「陸に上がれば、貴様らに負くるかもしれんが、球磨川での舟戦ならば、絶対に負けることはなか。負けてしもうたら、舵取りの名折れ千万たい」だった。

若鮎が先行し、川辺がその後を下っていくことになった。流れに棹さす。敵の襲撃は下流よりも上流から行われるのが常套である。その際には、川辺は軍殿として川中にとどまり、奥方たちが乗っている若鮎を少しでも下流へと避難させる捨て身の策をとるためだった。

舟が大窪の地から離れていく際、河梶取の清藤二は――敵に見つからないように莚をかぶった――奥方たちに話しかけた。

「（球磨郡）渡利村より先の求麻川の流れはやかけん、揺れますばってん、儂らが操る限り、転覆することは絶対になかです。急流は水堀、舟の縁は土塁ですたい。舟ば要害堅固の動く砦と思っていてくだされ」

「なんと心強い。ありがたかばい」

奥方の声が筵越しに聞こえた。

船尾に立つ河梶取が竿にぐいと力を入れた。舟が川中へと押し出された。その後、奥方一行は、敵の本陣「原城」の北岸を無事に通過した。

求麻川と胸川が合流している地点を下っていたときだった。辺りは薄暗くなっていたが、奥方たちには少し上げられていた筵と船べりの間から、東方に黒煙が立ち上っているのがはっきりと見えた。

「あの黒か煙は、斉木の本曲輪辺りからではなかとか――」

やがて、船が下るにつれて、煙は別々の場所から立ち上る煙だということがわかった。いままでは角度的に二本の煙がちょうど一本に重なって見えていたに過ぎなかった。

「あっ、もう一本。奥からも」

「あれは中田の城……」

「七地の城はすでに……。これで三本――。いずれも落城してしまったのか」

あき姫の胸に顔を埋めたままのしず姫と眠り続ける次郎丸、二人を除き、皆、覆われた莚から顔をわずかに出しながら、南東の方角を向き手を合わせていた。

「あき、しず、次郎丸、あの三本の煙をしかと目に焼きつけておきなさい。兄弟助け合い、喧嘩をしたらいけませぬ。喧嘩をしそうになったときは、日が落ちようとするなか舟の上から眺めたこの三本の煙の情景を思い出しなさい」

この力づよい母親の声で目を覚ましたしず姫が、円らな瞳を見開きながら、しっかりとした口調であき姫に質問した。

「姉様。このまえのように、くまがわをわたり、みずのわいているところにはいかぬですか」

「しず、そうなの。泉田の米冨様の館近くの渡し場はとっくに過ぎてしもうて、今日はもうすこし先まで求麻川を下っていくとたい」

次郎丸の眠っている顔を覗き込みながら、奥方が姫たちに話しかけた。

「とりわけこれから数日は、昼夜一瞬たりとも気の抜けん毎日が続くばい。陸よりも川水に囲まれた船のなかが安全たい。今のうちに眠っておくとがよか」

「お生まれになった時分は、お三方ともに隣村にも響き渡るほどの大きか声で泣かれておんなさったが、さすが但馬守様の若子たちでございますばい。今日は泣き言一つ言われません。また、あき姫が連れてこられた猫も鳴くことなく籠の中で丸まって眠っておりますばい」

名主一族出身で奥方の身の回りの世話を長くしてきた女性が話した。

川を下るにつれ、奥方は討死した者らのためにも、子どもたちを育て上げなければならない、と決意を固めていっていた。

河梶取衆は、人吉平野への西の出入り口に建つ渡利城の近くを下っていくときがもっとも警戒しなければならない、と心配していた。が、城兵たちは城と求麻川の間を通る往還の警固に注力していたため、一行は難なく渡利村を下り抜けることができた。

「日は落ちました。これから先、筵は被られなくとも大丈夫でございます」

河梶取清藤二が奥方たちに述べた。

日中でも急流名高い求麻川を操船していくのはたいへん難しい。まして暗闇のなかを転覆することなく下り続けることは、舵取りの高い技量なくしては不可能といえた。

二艘の舟は求麻川左岸の砂河原に着岸した。

其処は月光が仄かに砂と川面を照らしていたが、用心のため火を起こし、暖をとることはできず、たがいの顔をやっと確認できる程度だった。

平家の落人ゆかりの木彫りの玩具「きじ馬」を手に持って眠る次郎丸の安らかな表情を見つめながら奥方は、

「（球磨郡）五木、椎葉、この先の坂本の村周辺の山々には、壇ノ浦の戦いに敗れ、落ち延びた平家の末裔が暮らしていると聞いています。正直なところ、昨日まではその者らの落人譚を伝え聞いても他人事のようでした。左近将監殿も含めて我が家族、永冨一門、郎党らの中に、正路を踏み外した奢り猛き者が居ましたでしょうか……。輩どもによって、われらはそのような者どもへとまつりあげられてしまったのでしょう。じつに口惜しき事……」と、声を震わせながら胸の内を吐露した。

闇から押しつぶされてしまう――眠り続ける次郎丸を除いて、誰もがそのように感じるなか、河梶取の清藤二が進言した。

「人吉城下を抜け、渡利の城も過ぎました。敵というても、同じ人吉球磨の衆でございますが、此処まで下ってきたら、人吉からの追手の衆はそぎゃん心配せんでもよかでしょう。追っ手の舟の舳にはかがり火が焚かれていますので、遠くからでも目立ち、舟が近づいてくるのは早い段階で察知できますばい。――申し訳ございません。この先には大岩が横たわっておって、舟ではそれより下流には行けませぬ。その手前の一勝地《いっしょうち》には下球磨の河舵取衆の砦と館、船着き場がございます。儂らは見つからんように、その手前で引き返さねばなりません。――儂らが明日の朝、大堀の船着き場に帰っておらんならば、奥方様たちが舟で落ち延びたことがわかってしまいます。だけん、儂らは急いで大堀へと帰らねばならんとです。舟を一艘残していきます。この河原から少し離れた場所にしっかりと船体を縄で木に結わえて、お子様たちとともに舟上で一晩明かすのがいちばん堅固と言えますばい。最近、雨は降っておらんです。今夜も降りそうにはなかです。予期せず水かさが急に増してしまうことはなかです。暫しの間、この河原で過ごされるっとがよかとではなかでしょうか。この河原に続いている道はなかです。攻め寄せることができるのは船からだけ。かならずや急流が皆様方を護ってくれますけん」

「我が身はこの先どぎゃんなろうとも、清藤二と矢四郎たち河梶取衆の恩は決して忘れませぬ。一生の覚えなり、ぞ」奥方が礼の言葉を述べた。

瀬音に混じり、供の女性たちからすすり泣く声が漏れるなか、帯同してきた近習たちは目頭を押さえながら会話に聞き入っていた。

「求麻川左岸を西へと向かうと「告《つげ》」集落からから山径となります。この径は「市野瀬」と「塩浸」両集落を通りながら海辺の村「佐敷」に続いております。塩浸からは佐敷川沿いの道となります。よばってん、「佐敷往還」と呼ばれていることからお分かりのように皆が通る道でございます。よって、いったん下流の「神瀬」集落まで行かれ、「吉尾川」に沿って、「天月」集落を通り、「市野瀬」へと出られるのがよかと思われます」

河梶取の矢四郎が芦北郡内でもっと栄えた村である「佐敷」までの地理を説明した。

「化粧箱から櫛をとり出してもらえますか。鉄漿壺や鑑、櫛払い、筆と墨、毛抜き、刷毛は一本ずつしかないでしょうが、櫛は数本入っていたはずです」

奥方は侍女の一人にこう述べ、渡された櫛を河梶取の清藤二と矢四郎に見せた。

「自らの命を危険に冒し、わたくしたちの命を助けていただきながら、お礼の言葉以外お贈りするものはこの櫛といったつまらぬもの。私どもは、これからしばらく、髪を整えるための櫛でなく、シラミをこそぎ落とすための櫛鋤きと守り刀が重宝することになるでしょう。是非、あなたがたの娘さんが使われてください」

奥方が丁重に礼を述べた。

「……家宝に致しますばい。山野をさまよい続けても、生き抜かれて斉木の地に戻り、永冨一族のご再起を図られて下さい。大堀の地でお待ち申し上げております」

河梶取と清藤二は櫛を拝領し、奥方たちを励ました。求麻川の急所を押さえる七地村大堀を本拠とする河梶取衆には、これより先の事については激励のほかに奥方たちを助力する術はなかった。ろくろを回しに訪れていた七地村へと続く道を通り、遊び場のひとつだった大窪の川湊から舟に乗ったため、事の重大さには気がついていないしず姫だった。母や姉弟、侍女らがいっしょとはいえ、川の轟音が聞こえる真っ暗な砂河原に居続けていることが、しず姫の心の内に計り知れない不安と恐怖を急速に増幅させていた。その様子に気づいた矢四郎が、

「さいき（斉木）とさいき（再起）か、上手かことば申すな。さすが清藤二ばい」と褒めあげ、いまにも泣き出しそうなしず姫を見て微笑んだ。

「なんば申しとる。こぎゃん緩急に駄洒落を申すわけがなか。そもそも、姫は駄洒落が分かる御年にはまだ早かろうものを……」

清藤二が憮然とした表情で返した。

「こぎゃん苦しかときこそ、笑いが大事でしょう」

場を和らげようと奥方は微笑をつくった。そのとき皆、ずっと眠り続けている次郎丸の顔もほころんだようにみえていた。

「笑ったのはいつだったでしょうか……、そして次に心から笑うことができるのは、いつになることでしょうか。皆で――」

奥方は河原の先に茂る黒々とした林を見つめながら、つぶやいた。

別れの挨拶が交わされるなか、あき姫は腰をかがめ、妹しず姫の不安げな顔を見つめながら、懐から手拭いに包まれた平たいものを取り出し、見せた。それは床の間に飾られていた、しず姫自らろくろを回し、初めて焼いた用途不明の小さな皿だった。

「ああ、これ」

しず姫は目を輝かせ、あき姫に笑みを返した。

「もののふの妻として、日々今日が最期と思って暮らしてきました。しかしながら、願いとは反対のことが叶ってしまうものです。舟のなかでは、自城が落ちた後も、死んではおらぬわが身を恥じ入っていました。が、今は、我が子を育て、亡くなった者たちの弔いを執り行いながら、この戦の顛末を書き残すべく一日一日を懸命に生き抜いていかねばならぬ、と決意しました。禍を転じて……という唐国の故事のごとく、これから先、私どもは力を合わせ、一族に降りかかった戦禍を福へと転じさせていかねば――」ここで奥方の言葉は詰まってしまった。

こうして奥方たちは無事に城を脱出し、七地村大窪から舟に乗り込み、難関といえた人吉城下を抜け出すことはできた。だが、この先、いかにして、どこへと落ち延びていくのか、これこそが最大の艱難といえた。

奥方たちは、河梶取衆が勧めた芦北へと向かったのか。あるいはそのまま求麻川左岸の路を下流へと進み、八代方面へと落ち延びていったのか。はたまた深山幽谷に分け入り、野営をしながら尾根伝いに、堯頼主従が落ち延び、主君堯頼亡き後も従者たちが捲土重来を誓い、暮らしていた北薩牛屎院の地をめざしたのか。奥方たちの落ち延び先に関する記録は公には残っていないとされている。なお、芦北の佐敷に向かう途中には、村の城と伝わる高台ものこる「才木《さいき》」地区と「鉄漿岩」がある。また八代に向かう途中にも、「鉄漿岩」という大岩が落城悲話とともに存在している。

燻城

『南藤蔓綿録』は、落城後の斉木城の様子について、「城中に人一人も無之、依て寄手も囲を解きにけり、」と記す。

いまだ城の周辺のいたるところで煙が燻り続けているなか、長続、頼金と重臣たちは斉木城内へと入っていった。

長続の母親が搦め手の隠居館に暮らしていた義父母に挨拶に行くため麓の地頭館を出て、土橋を渡り、櫓門のある虎口を通り、三の曲輪まで登ってきた際、産気づき、そのまま三の曲輪で長続は誕生していた。

しかし、三の曲輪の建物は焼け落ちていた。

「立て籠もっていたのは二百名余り、と聞いておったが……、城内に屍が散乱しているわけでもなく、さりとて負傷している者も見当たらぬ」長続は疑問を口に出した。

「城内ではなく、南側の鳩胸川に面した崖下に無数の城兵の屍骸が折り重なって見つかっております。童らは夜陰に紛れ、城を脱出し、身寄りの者たちに引き取られていったようでございます」

「兄但馬守の亡骸は見つからんとか」

口に当てていた手拭いをいったん外した長続は、檄をまわりに飛ばしながら、ながらく会っていなかった兄頼重の顔を懸命に思い出していた。だが思い浮かんできたのは若き頃の笑顔の兄の顔であった。

「まだ、見つからんか」

長続は間をおかずに同じ質問を発した。いら立ちを隠すことができなかった。

長続には、兄頼重が一所懸命の地に建つ居城を残し、庭石まで落とす徹底抗戦をしたにもかかわらず、逃げ出すような腑抜けの城主には到底思えなかった。たとえ一兵となっても戦い抜くべし、と父から叩き込まれてきた二人だった。また「個」での戦い方をよしとするのが斉木の者たちの矜持といえた。

その瞬間、幼少時代、斉木地頭館において兄弟で将棋を指していたときの情景が長続の脳裏に浮かび上がった。

「王将の周りには金銀といった守りの駒はなくとも、自陣の形が乱れ、崩れようとも、敵の王将を一手早く詰ますことができたならば勝ちたい。戦さも同じたい」

頼重は笑いながら駒台に置かれていた駒を手にとり、金銀桂香に守られた弟長続の玉将の傍にそっと置いた。頼重の王将は自陣から入玉をめざして中段にあり、周りを固める駒はなかった。長続は自分の側が明らかに優勢と思っていたが、知らぬ間に詰まされる一手前の必至にまで追い込まれていた――。

(まさか――。大切な自城と兵たちを犠牲に我々を城内におびき寄せ、兄上は渾身の一矢を放ってくるやもしれぬ。もちろん狙われているのは自分、そして嫡男頼金)

「頼金、父からすぐに離れよ。そんまま搦め手を探りに行け」

「矢を射かけてくる者がおる。曲輪を廻る木柵の外側の崖や土塁、搦め手の竹藪など隅々まで探せ。囲いはまだ解くな。油断は禁物ぞ」

長続は絶叫同然の命令をつぎつぎに飛ばすと、太刀の柄に右手をかけ、左親指でつばを押し出しながら、右足を後ろに引き、その場で城内をゆっくりと見回した。

(兄上ならば、やりかねん――)

二の曲輪では、飛び降りる際に擲《なげう》った腰刀や切り落とした髪が散乱しているなか、同行の僧が崖下を見下ろし念仏を唱えていた。

そのとき、使者が長続のもとへと駆け寄ってきた。

「一武城主米冨（頼照）様ならびに一乗寺の住職慶賛殿が土橋にお見えです」

「なぜ此処へ――」

「但馬守様は一武城の東に建つ広大寺の祠で自害を遂げられている、とのことでございます」

「それはどぎゃんこつか」

長続は驚きの声を上げ、土橋のほうへと歩きだした。家臣たちがその後に続いた。近習のひとりは搦め手を見回っている頼金らにこの一報を届けようとかけだした。

「いまも一武麓の木戸では、夜明け前に中田城へと向かう途中だった上球磨の国人勢力と米冨勢が対峙中。広大寺の住職は祠の前にて薙刀を構え、但馬守様の遺骸を守り抜いておられます」

土橋の先で、一武城主米冨頼照と一乗寺の住職慶賛から直接、長続に対し一武の状況についての説明がなされているなか、搦め手より頼金たちが甲冑の擦れる音をさせながら戻ってきた。

「一武で叔父上が自害されているとお聞きましたが……」

「そんとおり。だが、理由は判らぬ。我々は急ぎ一武へと参る。頼金、この城の検分はおぬしらに任したぞ」

長続は「ただちに一武広大寺へと参る」と号令を発し、米冨と住職とともに麓の馬場へと足早に向かっていった。

一武角井広大寺の祠

長続は、一武麓の木戸で続いていた米冨勢と上球磨の国人衆とのにらみ合いを収拾した後、広大寺へと向かっていた。先遣隊からの伝令が脇にものを抱えながら後方の長続の居る本隊へと走り寄って来てきた。

騎乗する長続の後陣に位置していた青沼が長続の横に馬を寄せた。

「わたくしには冑に見えますが……」と告げた。

「そうだな」

伝令は、長続の馬下に着くや、一礼をし片膝をたてて座った。同時に、両手で素早く脇に抱えていたものを自身の頭上よりも高く掲げた。

赤黒い顎紐が二本、だらりと下がった。紐はすでに乾いていた。

「やはり、冑だな」長続の口から言葉が漏れた。

「そぎゃんですな」青沼も感情なく言った。

長続の視線が、どす黒くなった血のりが付いている箇所に釘づけとなった。

「冑を渡してみよ」

「はっ」

差し出された冑を受け取った長続は、指に唾をつけ、血のりをぬぐい取った。一転して興奮した口調になった。

「紋ばよく見よ。我が家の紋、丸の内櫻たい」

「……但馬守様の御冑でございますな」

広大寺の住職慶秀は、旧主であった下相良宗家九代相良前続より還俗を仰せ付けられた僧だった。急使のなした報告と寸分も違わぬ様《さま》で、祠前の道の真ん中にて一人厳然と薙刀を構えていた。住職は、長続の顔を確認し、深礼をなし、薙刀を脇に立つ大樹の幹に立てかけた。単身、祠のほうへと歩き始めた。祠の正面に着くと袈裟の袂から数珠を取り出し、祠に向かい、念仏を唱え始めた。

祠の周囲に敵が伏していないことが確認された後、長続たちは祠の正面に歩みを進めた。その気配を背中で感じとった住職は念仏を唱えるのを止め、階段をあがり、左右の扉を開けた。そして扉脇でさっと控えた。すると、祠の奥から、左を向いた状態で頭を床に突き伏した上半身裸の男の姿が長続たちの目に飛び込んできた。

相良長続、米富頼照、広大寺住職慶秀、一乗寺大蟲和尚、青沼の五人はそれぞれ一礼し、祠内へと入っていった。

警護のため二人の兵が祠入口の両脇で槍を構えた。

但馬守が坐して向いていたのは、斉木城の建つ、西の方角だった。

誰も会話することなく、甲冑が擦れる音すら立たなかった。涙を流す者もいなかった。馬の嘶く声がたまに聞こえるだけだった。ただ、狭い祠内に五人の男たちがとどまっているため、床面に傾きが生じたのであろう――血は乾いてはおらず、少しずつその先が音もなく男たちの足元へと延びてきていた。

「殿、但馬守様の辞世の句でございます」

広大寺住職慶秀が言葉を発した。皆、床面の赤い筆書には気づいていた。

すぐにも敵兵が祠内に踏み込んでくるやもと切迫していたなか、但馬守は普段から祠に用意されていた硯と筆を見つけることはできた。しかし紙や墨はなかった。そこで但馬守は腸《はらわた》とともに流れ出す血をものともせず、身体を突き伏しながら、床面に自らの血を墨にし辞世を書いた最期が窺《うかが》い知れた。

長続は一度その句を詠み終え、少し間をおいて意訳した。

「――入道雲の季節を迎えることもなく、自らがこの春に雲井に浮かぶことになってしまうとは……」

長続たちが祠から出てきた際、青沼と遠巻きに祠を警戒していた青沼の重臣が目を合わせ頷きあった。

広大寺住職慶秀は、永冨但馬守頼重に戒名「斉智院宝重大居士」をおくった。

永冨宗家の民はこのように戦いました。

「因果のなせる運命とは言ひながら、此日如何なる日ぞ、三月七日累代旧功の斉木家亡ひけるこそ無下なりける」この一文で『南藤蔓綿録』「斉木但馬守逆心　附一家滅亡」の項は結ばれている。

江戸中期、米冨家泉田館前の辻郷湧水地にて

湧水地の水面には桜の花びらが浮いていた。それらは湧き上がってくる水によって、円を描きながらまわり続けていた。西源六郎昌盛は、館の土蔵に文書を見つけに行った米冨家二十五代当主米冨覚兵衛頼定の帰りを待つ間、その動きをじっと見つめていた。

頼定が風呂敷を大事そうに両手で抱えながら戻ってきた。

「源六郎殿、お待たせしたばい」

頼定が風呂敷の結び目を解くと、木箱が現れた。それを開けると、表紙に『鳩胸記』と記されている文書が収められていた。

「こん文書に、貴殿を悩まし続けとる永富家の謎に対する答えが記されておる。もちろんこれは原本ではなか。これまで幾度も書き写されてきたものたい。自館は幾度も火災に遭い、建て直されてきたが、幸いにもこの文書は代々伝わってきておる。なんさま不思議なことばい」

米冨頼定は西源六郎昌盛に『鳩胸記』を差し出した。源六郎は恭しく受け取った。

「永冨家の謎に対する答えとは、相良宗家十一代相良長続公の時代、讒言により滅亡し、事績をことごとく消し去られた永冨宗家の歴史と言える。いまから儂が話すことがこの文書には記されてある。貴殿が編纂されている正史では、永冨宗家の事績は正しく記さんといかん。ばってん、故事とはいえ、はっきりと書いてしもうたら、さまざまな差しさわりが生じてしまう。そこで「永冨」ではなく、別の名字ば用いて、永冨宗家の方々の事績を記してもらいたかとたい」

米冨頼定は断りを述べ、永冨宗家についての話を始めた。

斉木城が落ちてからまだ日が経っていない頃から、早速「斉木」の地名は「青沼」と改称され、麓の住人であり田畑の耕作者も、青沼一族が引き連れてきた者らにとって替わった。青沼一族の領地となってからは、永冨宗家、斉木という言葉を口にすることはもちろん、親から子へ伝承を語り継ぐことさえ固く禁じられてしまった。唯一統治できなかったものは領民の心の中だけだった。

戦後しばらくの間、村内のあちこちから、永冨宗家一族の事績を伝えていた五輪塔や板碑を砕く音がしていた。その音は聞くべき者の意見に耳を一切貸すことなく、讒言を信じきっていた実弟によって、一所懸命の地を無下に奪われた永冨但馬守頼重主従の恨み嘆く声や讒言一族の高笑いに聞こえていた。

戦後、長続の長子であった頼金は突如病に罹り、床に臥すようになった。その後も治癒することなく病死した。次子は戦いの前夭折していた。その結果、三男の為続が相良宗家の家督を継いだ。

頼金が病気に罹った時期が戦が終わったすぐ後だったため、郡内では、いわれなき讒言により無念の最期を遂げた永冨宗家の者たちの怨霊がなした祟りだと噂がたった。

この噂のいっぽうで、怨霊の仕業云々は偶然に過ぎない、と断言する者もいた。その根拠は、戦後も、青沼一族が斉木の地で命脈を保っている事実をいかに説明できるというのか。怨霊なるモノが実在するのならば、真っ先に青沼は廃絶しているはずだ、にあった。

この戦を端緒に、人吉城は求麻川の北岸から対岸の現在の地へと移されることが決まった。しばらくして、七地に永冨宗家一族の霊を供養するため「長昌庵」が建てられた。中田城主藤の弟にあたる（米冨）慶讃が開祖となった。


米冨館で、ひっそりと永冨宗家主従の三年忌法要が執り行われた三月頃から、館の門前には、全身白毛の二匹の子猫が居つくようになった。当法要には永冨宗家恩顧の者は一人も出席していなかった。二匹の猫は人間を怖がらず、鳴き声を上げながら法要参加者の足元へと近寄り、体全体を摺り寄せ続けた。飼い猫に間違いないと皆感じてはいた。

法要から数日後、米冨館内の庭石の上にその二匹の猫が仲良く丸まっていた。当時の米冨当主米冨長太郎着頼は、二匹とも赤く染められた麻でつくられた首輪をしているのに気づいた。白毛に赤という色が目立っていた。米冨当主は猫に近寄ってみたところ、こより状の紙切れが編み込まれているのが分かった。猫の首からやさしくとり外した首輪から、その紙を慎重にはずした。一匹には「あき」と書いてあり、もう一匹には、「しず」と記されていた。その二つの名前を読んだ当主着頼は、両姫が無事に生きていることを知り、落涙がとまらなかった。

ただし、姫たちが泉田の近くはもちろんのこと、人吉、球磨郡内で隠れ暮らしているとは考えにくかった。かといって、仔猫二匹が、両姫がこしらえた首輪を付けたまま遠方から自力で訪ねてきたとは到底思えなかった。落城時に但馬守夫人や姫たちといっしょに落ち延び、身の回りの世話を続けてきた近習の一人が、館近くに用事があったついでに猫を置いていったのだろうかと推察してみた。しかし、その近習が紙縒りを付けた猫二匹を抱え、籠に入れるなどして、泉田館までやって来たのならば、もったいぶらず、奥方からの正式な書状を届けたほうがよい、と着頼は考えた。

当主着頼は自ら、この猫が館に住み着くようになった頃、二匹の白猫を抱えた者を見かけた者がいないかと近隣をあたってみた。門前の辻郷の湧き水には日夜様々な者が休息に立ち寄るため、有力な情報は得られなかった。ただ、当猫を門前で見かけるようになったのは三月上旬のようだった。その頃、泉田館櫓門横の白梅が開花した。これを愛でるかのように二匹の白猫が姿を見せるようになった、と記憶をもつ目撃者がいた。白という色の共通性がこの目撃者の記憶をとどめさせていた。同じ頃、辻郷の湧き水周辺では斉木村に所縁のある男——ものぐさ太郎——を複数の村人が見かけていた。

「ここ数年さっぱりと見かけなくなっていたものぐさ太郎が、賑わう市《いち》のなかば歩いておりました。その後、辻郷の湧き水で渇きを潤している奴の姿を見かけました。私と目が合った太郎は水を竹筒に入れ足早に去っていきました」

「太郎が寒い日、懐に猫を入れて、何事かを話しかけながら、楽しそうにあるいていたのを何度か見かけたことがあります。その猫の毛の色は二匹とも真っ白でした……」

これらの証言を得た当主着頼は直感した。

（斉木麓の住人だったものぐさ太郎に間違いなかばい。……だが、こちらが詳細を聞こうと待ち構えていると、太郎は警戒し、館へは近寄らなくなるにちがいなか。これ以上詮索はせず、そっとしておこう。きっと、太郎はふたたび、便りを届けてくれる）

当主着頼は、居場所は分からずとも、奥方や両姫たちの無事が確認できれば、それで十分だと考えることにした。

しばらくして、河梶取衆の者が『鳩胸記』と記された文書を米冨館に届けにきた。文書の書き手の名は記されていなかったが、字の見事さと内容の詳しさから夫人や子息を護りながら落ち延び、その後も生きていた右筆の職にあった近習が記したのであろう、と当主着頼は推察した。館に届けられた際、着頼はその河梶取衆の者に仔細を尋ねてみたが、霧の深い朝、河梶取の長の屋敷のほうに投げ込まれていた。それ以外のことは分からないとの返答だった。

米冨家二十五代当主覚兵衛頼定は源六郎に悔しさを滲ませながら述べた。

「因果応報という言葉はあるばってん、その戒めが通じないこともあるようだな……。なぜ青沼どもは神仏の冥加を賜り続けているのであろうか。かつて「青沼」は「斉木」という地名だったことを知る者も少なくなってしもうた」

現在も、青沼一族は讒言をなし、永冨宗家一族から横奪した斉木の地に、さも昔から自分たちの手で田畑を開墾しながら住み続けているかのように振る舞いながらその子孫らが住み続けていた。

「最近は戦もなか。本来の武士道、名主《みょうしゅ》道は失われてしまったかのようだ。兵《つわもの》、武士として、また名主《みょうしゅ》の時代から「米冨」という嘉字《かじ》ば名乗り、先祖伝来の地を一所懸命に続けている家の当主として情けなさを感じる。大坂の陣以後、幕府より断絶、改易、減封の処分を受けた際、自城に立て籠もり、刃向った気骨、反骨の大名はおらん。島原の乱で島原城に立て籠もったバテレン連中だけたい。城を枕に討死するのとは程遠か、武士の風上にもおけぬ武士ばかりばい。昨今の武士道なるものは、かつての名主《みょうしゅ》道の欠片も感じられず、主君、上位者への絶対服従を教え込んでいるだけんごたる。『鳩胸記』についても、書き写されるたびに、史実はだんだんとぼやかされる様になっていった、と伝え聞いとる」

「ごもっともでございます。堅城名高い熊本城の主であったにもかかわらず、戦いもせずやすやすと改易されていった加藤清正公の嫡子をはじめとして、大名は一家たりとも、幕府と一矢を相まみえようとはしません。名折れ千万といえますばい」

　頼定は源六郎の発言に対して深くゆっくりと数回頷き、さらに自身の思いを語り始めた。

「身近な例がござった。江戸初期、人吉城の西の館に立て籠もり滅亡した清兵衛一族のことだ。主君相良家と一戦交えて滅び去った最期については武門の意地を見せつけたので、ひじょうに評価でくる。当時は戦国時代、関ヶ原の世の士風も残っていたのであろう。この一族の者どもは当主の清兵衛を筆頭に、身の程を忘れ、奢り出し、商売人どもと結託し、本城を人吉から球磨郡岡本村へと移そうとまで画策しておった、と伝え聞いておる。「分限」という言葉を忘れ、何事も欲してしまう、また己のために家臣、領民に多大な犠牲を強いらせてきたからこそ、一族の勢いにいささかの陰りが見えると、それまでの骨髄に達していた恨みが一気に噴出し、一族は急坂を転がり落ちるように滅びてしまうわけたい。清兵衛本人は奥州津軽の地へ流刑、一族の者は館に立て籠もり族滅した。哀れなもんたい。――当時、わが先祖の一人に米冨吉左衛門という者がおった。当時相当な権力を握っていた清兵衛を糾《ただ》そうと一人の分別にて、行動をとった者だ。まさに諫言は一番槍の手柄よりも難しい、とはこのこと。この先祖の武勇は必ず記しておいてもらいたい。名主は武士と呼ばれるようになり、名主《みょうしゅ》道も武士道と呼ばれるようになった。名主《みょうしゅ》か武士か呼称はどぎゃんでもよか。その中身が問題たい」

　この米冨の依頼は『南藤蔓綿録』では次のように記されている。

「米冨吉左衛門　先年伏見落城の時の一言一生の覚也、右の仕合故家老清兵衛をものとも致さす度々刃をぬき候間清兵衛深く悪み候て讒を構へ山田に押込置申候也」

「米冨館表門左脇の枝垂れ桜は、求麻川の南方にあった館跡から運ばれてきて、この地に移植されたと聞いておる。一本はこの桜、もう一本は近くの親戚の屋敷に立つ。いまとなってはその館跡は不明ばってん、もしかすると斉木麓の永冨宗家の館跡だったかもしれぬ。――当家に伝わっている話は以上ばい」

こう述べた米冨家二十五代当主覚兵衛頼定は、地中から湧き上がってくる水泡と水面に舞う桜花に視線を落とした。

西源六郎は相良家藩士として、「長続一族が出身母体であった永冨宗家を滅ぼしてしまった」と相良家正史に記すことはできなかった。米冨家の立場もある。だからといって、不忠の咎めを受けても筆は曲げる気は毛頭なかった。編纂者の矜持は書き残しておかねばならない、と考えた。

そこで、米冨家とも関係の深く、永冨宗家本貫地であった小字「斉木」を仮の名字として付し、永冨宗家一族の最期とそれに至る過程を書き残すことにした。

永冨但馬守頼重の自害地については、『鳩胸記』にあるとおり、一武城近くの「広大寺」と記した。このつながりを残すことで、然るべき者が読めば、斉木但馬守一族は永冨宗家一族を指しているのは分かるにちがいない、と源六郎は判断した。なお、当寺は斉木城から離れていた。また、但馬守が向かった日時も総攻めが始まる前夜だった。源六郎は『南藤蔓綿録』の読み手がこの点に関して奇異に感じてしまうことを予想できたが、本書にはこの疑問に対する答えも編纂者として疑問を呈する表現も記さないことにした。通字についても斉木但馬守の実名は省くことにした。一族名が特定されるのはいまでも差しさわりが生じてしまうと考えたからだ。

西源六郎昌盛は以下のように結論づけた。

永冨長続が下相良一族から相良宗家の家督奪取に成功したのを契機に、永冨一族の威勢は急速に伸長していった。それより前から永冨宗家一族は、永冨但馬守本人の器量の大きさ、連枝出身の内室の存在を理由として、郡内において他に肩を並べる一族はいないほどの勢力を保っていた。永冨宗家の実力が羨望の目で見られていただけではなく、妬まれてしまい、追い落とそうとする勢力を生んでしまったと言える。一族で人吉球磨郡内を治めるほどの器量があったことは、羨ましがられるにとどまらず、その器量により自領が奪われてしまうと、郡内の大小領主たちは永冨但馬守一族を怖れていたと推察できる。四方を幾重にも山々に囲まれた球磨盆地は、嫉妬、悪意の感情で満たされやすく、何代にもわたり、そうした感情が怨恨として滞留し続ける地形といえる。

さらに、永冨宗家の永冨但馬守頼重一族事績が消し去られた理由については以下のごとく推察した。

長続は、家督を簒奪した者だからこそ、自分も惣領の地位を奪われてしまうのではないかと疑心暗鬼になっていた。家督簒奪後、領内基盤の安定を図る中、長続が最も危惧していたのは自身の出自一族である永富宗家の存在だった。この不安に付け込み漁夫の利を得ようと新興の弱小勢力や永富一族の台頭を快く思わない人吉球磨の諸勢力の者らが長続に対して讒言を行った結果、「永富宗家」と「永富分家の出身であり相良宗家の実権を下相良家堯頼から奪い、上相良勢力も一掃できた長続一族」との間に内訌が勃発してしまった。

戦後も、長続は相良宗家としての正当性、連綿性が欠けている点を気にしていた。長続死後も、相良宗家の家督の地位を継承した為続は、永富宗家が分家勢力によって滅された過去は誇るべきことではなく、将来的に内紛の火種となる可能性もあると憂慮し、史実を隠蔽し続けることにした。

——相良家は戦国大名としての地位を固め、牛屎院、八代進出といった誇るべき事績を残すことができた。相良宗家当主は「長続—為続—長毎—長祇—長定—長唯（義滋）—晴広（為清・長為・為広）—頼房」と続いた。内実は平穏ではなかった。長毎が嫡子長祇に家督を譲った際、長続の嫡孫長定が謀反を起こし、一旦は人吉城に入った。しかし家臣たちが納得せず、長祇の庶兄長唯（義滋）に代わっている。

為続の子長毎とその孫長時—（その先なし）」と「長唯（義滋）の子万次郎—（その先なし）—この二つの流れを除いて、男子については惣領となることができた者以外の兄弟の血筋は、今に伝わる相良家系図には記されてはいない。このことからも内紛を引き起こさないように徹底した惣領の地位の護持が行われていたことが読み取れる。

つまり、この時代の領主の子息の生き方は四通りだった。
①承継できた家督を掌握し続ける
②謀反を起こして家督を奪うことに成功し、それを掌握する
③仏門に入れられる、または自ら入る
④謀反を起こしたが失敗、あるいは謀反の疑いをかけられ滅亡

かくして西源六郎昌盛は、千辛万苦をものともせず、藩史編纂者の矜持と相良家家臣の立場を両立させせながら、人吉藩主相良氏始祖以来約五〇〇年間の主な事跡が記した『南藤蔓綿録』を無事に完成させせた。史料収集と編纂に約十年の月日が費やされた。その書は藩主に献上され、藩庫に収められた。

『南藤蔓綿録』「斉木但馬守逆心　附一家滅亡」（原文、カタカナは平仮名に改めている）

宝徳三辛未漆田赤池地頭斉木但馬守逆心起を尋ぬるに其前但馬内室は御連枝方にて一族の歴々譜代恩顧の輩多し、其上其身器量有て諸事たくましき故人吉城下の諸士皆々其威勢に恐れしかは御一族の外肩を並る人なし

斯て其比長続公薩州牛屎院御在陣の御留守を伺ひ逆心の企有之由縁者の何某是を風聞密に彼宅に行異見様々申尽候得共、曽て御承引無之故何某事も是非に及ばず言葉言争にて座敷を立罷帰り候、長続公御帰陣の後、此事密に聞召及ばれ広田弾正、蓑田何某両使を以て逆心の意趣御尋ねありければ、過重の返答に及び候故、扨は逆心疑なく急度御誅伐有るべしとて御機嫌太く宜しからず、依て原口藤兵衛尉、永井弥太郎御使者と為て已に切腹仰付られ候処、斉木方家の子一族主従都合弐百余人赤池籠城故討手として雲霞大勢時を移さす差遣され候、

依て寄手軍兵轡を並へ鬨を作り責寄せ候故斉木叶はすとや思ひけん夜中窃に城中を忍出で角井広大寺に掛け入り腹掻切て失にけり、其外相残一家主従城に火を掛け焔の中に飛入り死するもあり、又髪を斬り腰刀を抛出し鳩峰川に飛入り死するもあり、或は敵に内通して妻子従類引具し落る族多ければ城中に人一人も無之、依て寄手も囲を解きにけり、因果のなせる運命とは言ひながら、此日如何なる日ぞ、三月七日累代旧功の斉木家亡ひけるこそ無下なりける

＊

筆者である私の家に伝わる『鳩胸記』に基づき、「斉木但馬守逆心　附一家滅亡」の史実をまとめると次のとおり。

①「斉木」の真の名字は「永冨」。「但馬守」の実名は「頼重」。
②斉木但馬守一族とは永冨本家一族。
③斉木但馬守の乱とは、永冨宗家一族と相良宗家惣領となった永冨長続一族との内訌。
④郡内の大小勢力も、それぞれの利益を求めて参戦。結果は永冨宗家一族側が敗北、滅亡。
⑤乱後、永冨（相良）長続は出身一族であった永冨宗家に関する事績を悉く破却することを命じた。

時代背景について

「戦い」の起源は、農耕（稲作）および定住生活の開始時期と一致する。これが現在の定説だ。田畑や収穫前の作物は動かすことはできないものである。収穫後も、収蔵庫は容易に特定できる。井戸掘削は困難で、飲用と生育のために不可欠の水が豊かな土地も少なかった。自然災害や飢えは当たり前の時代、田畑や収穫物を狙う輩どもが攻め寄せ、大小の争いが生じた。だが同時に、愛する「所」とそこに暮らす家族・仲間を「自衛」したいという想いが発芽した。この気持ちが価値観「一所懸命」を生み、「武士」の原型である「有力農民である名主」が出現した。

「一所懸命」は、一般的には鎌倉武士と結びつけられるが、その時代よりもはるか昔に「自衛」という気持ちとともに誕生していた。時代が下るにつれ、「田堵」、「名主《みょうしゅ》」、「兵《つわもの》」、「武士」と呼称は変化していった。つまり「武士」は「名主」に由来している。名主から武士へと名称は変化したが、時代を超越した「一所懸命」という大河が貫き流れていた。この河川は人吉球磨盆地では「球磨（求麻）川」と言える。

リバタリアン“libertarian”である私は「武士道」の上流にある——米を主食とする者ならば当

然尊ぶべき、正しき行い――倫理、根本を「名主道」と名づけた。

サムライ・侍の語源として、貴族に「さぶらう（身辺や邸宅を護衛する）」がある。そして、もうひとつ「兵《つわもの》」がある。この「兵」という言葉は、まさに独立した中世村落に暮らす小さな領主として、愛する家族・仲間、田畑・収穫物を自衛せねばならぬ、という気概が伝わってくる。「一所懸命」の源泉地では家族と村の仲間を守りたいという愛が湧き出しているのだ。

しかし――結局、この川の水も海へと注ぎ込むことなく、あの秀吉の時代に堰き止められ、枯れ果てた。貧しい百姓の出身だった秀吉は農村の底力を体得していたからこそ、天下を取った後は、その力を畏怖し、検地、刀狩令、兵農分離、村の城を取り潰す一国一城令といった一連の施策を行い、村落の力を弱体化させていった。目のあたりにしてきた人身売買を真っ先に禁止したのもうなずける。この点だけは評価できる。

自分の村は自分たちで守り抜くという自立、自律　独立、自治、自力救済は否定されていった。太閤検地により荘園制も完全に終わった。この終焉とともに、自分の名のついた名田を見渡せる微高地に館を構え、いつ何時の敵襲に備え、槍刀を畔に置き、脇差や鎌を腰に帯びたまま名田を耕作していた。この個をよしとする名主の生き方、戦い方も廃れてしまった。戦い方は集団戦となった。大鎧で身を固めた一人の武将よりも、一両具足の足軽集団、鉄砲隊が活躍するようになった。国人領主たちは、先祖伝来の一所懸命の地、名字の地から切り離され、城下町に集められ、戦国大名の家臣団という組織に組み入れられた。高くそびえる石垣、巨大かつ絢爛豪華な近世城中では、太刀を預け、脇差のみを帯び、官僚的業務に従事することを命じられた。大剛の兵、武辺堅き侍は軍記物の世界で生きるしかなくなった。

村落の自由と独立が奪われ、村人は巨大な権力機構に服属を強いられた。こうした多大なる犠牲の上に、数人の天下人が誕生したわけである。

相良氏の歴史を振り返っても、相良為続の時代、人吉球磨の国人勢力は、肥後国八代支配という大義名分のもと、「一所懸命」の地から切り離され、鉢植えのように八代に移住させられた。後年、相良氏は響ケ原の戦で相良義陽が討死したことで八代の地を失ってしまった。当時を懸命に生きぬく者には分からなかったことであろうが、歴史を振り返ると、讒言の有無にかかわらず、自立、自律、個を重んじる永富山田荘の住人とその地を本拠としてきた永富宗家の運命は定まっていた。個から群れへの過渡期だったといえる。この法《さだめ》に抗うことは急流球磨（求麻）川を自力で泳ぎ上ることに等しかった。

〈著者略歴〉

稲冨伸明（いなとみ・のぶあき）
相良長頼公七男
十郎頼貞を初代とする稲冨家三十四代当主
U.S.CPA California Real Estate Broker
〔住所〕熊本県人吉市南泉田町三〇四番地

人凶《ひとわろし》――相良藩永冨一族の謎

二〇二一年七月一〇日発行

著者　稲冨伸明
発行者　小野静男
発行所　株式会社　弦書房
（〒810・0041）
福岡市中央区大名二―二―四三
ELK大名ビル三〇一
電話　〇九二・七二六・九八八五
FAX　〇九二・七二六・九八八六

印刷・製本　有限会社青雲印刷

落丁・乱丁の本はお取り替えします。
© Inadomi Nobuaki 2021
ISBN978-4-86329-231-4 C0021